CORPO, TRANSBORDA

CIP-BRASIL. CATALOGAÇÃO NA PUBLICAÇÃO
SINDICATO NACIONAL DOS EDITORES DE LIVROS, RJ

C295c

Caron, Marina
Corpo, transborda : educação somática, consciência corporal e expressividade / Marina Caron ; [ilustração Macê Stevaux] ; [revisão técnica e prefácio André Trindade]. - 1. ed. - São Paulo : Summus, 2021.
128 p. : il. ; 21 cm.

Inclui bibliografia
ISBN 978-65-5549-054-1

1. Artes cênicas. 2. Linguagem corporal. 3. Educação pelo movimento. I. Stevaux, Macê. II. Trindade, André. III. Título.

21-73958 CDD: 792.8
CDU: 792.8

Leandra Felix da Cruz Candido - Bibliotecária - CRB-7/6135

Marina Caron

CORPO, TRANSBORDA

Educação somática, consciência corporal e expressividade

summus editorial

CORPO, TRANSBORDA
Educação somática, consciência corporal e expressividade

Editora executiva: **Soraia Bini Cury**
Preparação: **Janaína Marcoantonio**
Ilustrações e arte da capa: **Macê Stevaux**
Capa: **Alberto Mateus**
Projeto gráfico e diagramação: **Crayon Editorial**
Revisão técnica e prefácio: **André Trindade**
Pesquisa (vídeo): **Marcelle Lemos e Mateus Menoni**

Summus Editorial

Departamento editorial
Rua Itapicuru, 613 – 7º andar
05006-000 – São Paulo – SP
Fone: (11) 3872-3322
http://www.summus.com.br
e-mail: summus@summus.com.br

Atendimento ao consumidor
Summus Editorial
Fone: (11) 3865-9890

Vendas por atacado
Fone: (11) 3873-8638
e-mail: vendas@summus.com.br

Impresso no Brasil

Este livro é dedicado a
Bruno Perillo, Beatriz e Thiago
E ao meu pai, Caron

Sumário

Esta é uma escrita composta de inscrições no meu corpo, sonhos, investigações de movimento e relatos de experiências. É uma escrita poética que permite o entrelaçamento de corpos e considera que somos atravessados pelas histórias vividas e por muitos encontros.

Prefácio

"Vira bicho, Marina, vira bicho!"

Em fevereiro de 2007, eu estava num dos intervalos do meu curso sobre a coordenação motora quando recebi um telefonema da Marina. Ela contou que estava em pleno trabalho de parto havia muitas horas e que a médica havia estipulado um limite de tempo para que o bebê nascesse; do contrário, precisariam partir para a cesariana.

Marina me perguntava o que fazer. Ela havia sido minha paciente durante toda a gestação; tínhamos trabalhado os ossos da bacia, ela conhecia os movimentos do nascimento, contava com uma excelente consciência de seu corpo e era jovem. Tudo estava disponível para acontecer. Naquele momento, me ocorreu provocar-lhe a "instintividade". Marina seguiu meu conselho e virou "fera"! Pouco tempo depois, nasceu Beatriz.

Com seu segundo filho, Thiago, pude acompanhá-los no pós-parto.

Agora nasce seu terceiro "filhote": *Corpo, transborda*.

É um grande prazer estar aqui com ela nesta jornada com as palavras escritas.

Escrever sobre movimento, dança, consciência corporal e conseguir captar o leitor não é uma tarefa simples. Marina faz isso com maestria. O livro é delicioso de ler e cheio de surpresas. Ao final de cada capítulo, nos perguntamos qual será a próxima viagem pela qual ela nos conduzirá.

É interessante como ela consegue trazer conceitos complexos de diversas áreas do conhecimento e apresentá-los de forma clara. Isso ocorre, talvez, porque o tempo todo ela indica como os aplica em suas práticas com seus alunos. Há também os vídeos em forma de QR code, que dão corpo para as suas ideias.

O corpo transborda em muitas camadas. O livro trata do processo criativo de atores e bailarinos e de como suas propostas de experimentação do corpo encaminham a construção dos personagens ou as coreografias. Para esses profissionais, é leitura obrigatória. Porém, o livro alcança um público muito mais amplo, pois aponta os processos internos de autoconhecimento e de superação de desafios pessoais. Nesse sentido, tem um aspecto terapêutico.

Há também uma outra camada que é central em sua formação e abordagem: o método da coordenação motora de Piret e Béziers. Mais uma vez, ela esclarece e se apropria de forma criativa desse complexo trabalho criado pelas autoras francesas. E vai fundo nisso! Chega aos micromovimentos em forma de oito na coluna vertebral. Isso é fantástico.

Participei da revisão dos conceitos que tangem à psicologia e à coordenação motora, assuntos pelos quais transito em minha vida profissional.

Há ainda as belíssimas ilustrações de Macê Stevaux, os movimentos de Marcelle Lemos e Mateus Menoni, depoimentos de alunos e um capítulo delicioso no qual ela aplica seus conceitos nas aulas de dança para crianças.

Este trabalho, que começou como pesquisa de dissertação de mestrado profissional em Artes da Cena pela Escola Superior de Artes Célia Helena, orientada por Sonia Machado de Azevedo, "transbordou" da academia e ganhou o mundo! Sorte nossa.

"Vai, Marina; escreve, Marina"! Que seja o primeiro de vários.

André Trindade

Psicólogo e psicomotricista

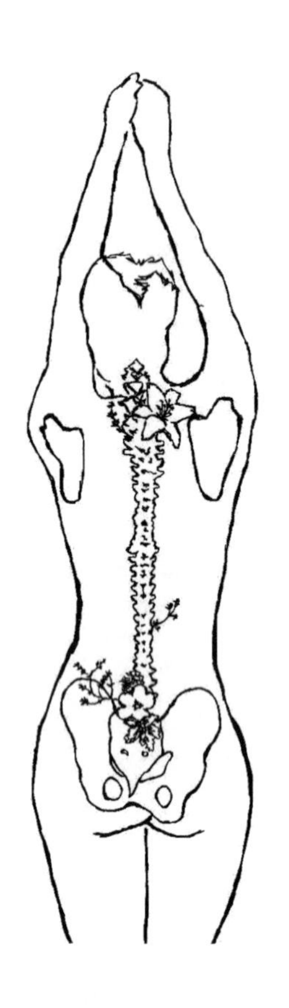

1
Percurso em movimento

Para começar este livro-relato, conto uma experiência importante na minha carreira de dança, na qual minha pesquisa se fundamenta.

Em 2002-2003, estudei na London Contemporary Dance School at The Place[1], em Londres. A proposta desse curso de aperfeiçoamento é que o pesquisador crie três peças coreográficas sobre o mesmo tema e com a mesma abordagem corporal. A abordagem escolhida foi o trabalho da coordenação motora de Piret e Béziers, meus estudos e minhas investigações durante os anos que antecederam essa residência na Inglaterra.

O tema demorou a ficar explícito para mim. Eram muitas perguntas sobre liberdade, ninho, morada, migrações, entre outras. Fiz três peças: *Anybody free*? (Alguém é livre?), *Flight restrictions* (Restrição de voo) e o solo *Migration, migraines* (Aves migratórias).

No solo final, usei um áudio que editei de entrevistas com bailarinas e bailarinos estrangeiros que moravam em Londres, em que eu perguntava: o que é ninho? E, para minha surpresa, todos eles começavam a responder em inglês e terminavam em sua língua original. Percebi um retorno e uma necessidade de voltar para "casa", usar a língua natal ao falar dos próximos voos.

Eu, que com 25 anos queria romper regras e achava que para ser livre bastava deixar o país e a própria história, percebi ali que a liberdade estava dentro do próprio corpo e intimamente ligada à condição de fala e de expressão. A liberdade seria adquirida no trabalho interno e na permissão íntima. Entendi que eu precisava trabalhar a minha capacidade de abrir espaços diminuídos em mim, lidar com as minhas amarras. E para isso era preciso **transbordar**, deixar sair. O corpo precisa transbordar para que possamos enxergar e depois lidar com o que somos, o que queremos e o que nos acontece.

Na volta ao Brasil, fiz uma parceria fundamental na minha vida e na minha carreira com o ator e diretor teatral Bruno Perillo. Estabeleci um elo profundo com o teatro e passei a focar meu trabalho mais e mais nas questões psicomotoras e na potência da dramaturgia do corpo, inerente e intrínseca, sobre a qual se constrói a dramaturgia teatral. Na área de Expressão Corporal no Célia Helena[2], na formação do artista da cena, e também com o trabalho de consciência corporal para crianças, eu sabia que queria trabalhar o autoconhecimento, em uma prática encorajadora que focasse a liberdade de expressão. Um trabalho com o corpo que possibilitasse que a pessoa entrasse em contato com seus medos e desejos.

Corpo, transborda. Sigo em busca de uma prática de integração e transbordamento. Sugiro, aqui, **quatro procedimentos** de investigação, que chamarei de **vias de acesso.**

Exponho relatos de aulas e ensaios de estudantes em formação em teatro no curso profissionalizante e no bacharelado do Célia Helena que vivenciaram experiências comigo. Utilizo também pequenos vídeos que exemplificam a prática no corpo. Esses relatos em forma de cartas-depoimento e os QR codes, vivenciados por Marcelle Lemos[3] e Mateus Menoni[4], além de serem uma comprovação do trabalho, um exemplo nos corpos, abrem um campo para experiências futuras para outros artistas da cena, e também para o leitor interessado em conhecer seu corpo e desenvolver uma linguagem expressiva pelo movimento.

Usufruo da sensibilidade dos desenhos de Macê Stevaux[5] para trazer imagens poéticas do corpo. E uso meus sonhos como material também, porque acredito que o universo onírico promove movimento expressivo, assim como o movimento expressivo abre espaço para os sonhos e símbolos inconscientes.

Eu poderia escolher outros relatos e sei que, inevitavelmente, virão novos procedimentos com novos transbordamentos, pois o corpo é fluido.

COMPOSIÇÃO

Esta investigação passa pelo meu corpo.

Eu já dançava profissionalmente fazia anos. Primeiro como bailarina clássica e depois em dança contemporânea como aluna de graduação na Universidade Estadual de Campinas (Unicamp). Mas não sentia que podia me expressar inteiramente. Havia sempre uma frustração após as apresentações, como se houvesse algo preso ou mal coordenado em mim.

A repetição de exercícios me trazia habilidades específicas, me tornava capaz de executar movimentos cada vez mais complexos, mas ainda assim eu não sentia que podia me expressar.

Não por acaso, tive hipoglicemia e machucados frequentes. O corpo sente a desconexão e sabe a hora de pedir casulo. Foi exatamente na recuperação de lesões que conheci o caminho da consciência corporal e pude escutar meu corpo por dentro.

Tive a sorte de chegar ao Estúdio Nova Dança[6], lugar de referência de trabalhos somáticos em São Paulo, e, ali, pesquisar intensamente com diversos profissionais visionários, como Lu Favoreto, Tica Lemos, Cristiane Paoli Quito. Elas me apresentaram a improvisação em dança e me deram a oportunidade de criar. Lu Favoreto[7] e André Trindade[8] abriram meus horizontes ao mostrar o corpo como uma unidade psicomotora no processo de formação na coordenação motora de Piret e Béziers. Fui criadora-intérprete da Cia. Oito Nova Dança[9] e pude vivenciar o trabalho no meu corpo e com o corpo dos artistas criadores da formação original da companhia.

O trabalho com base na abordagem somática de Marie-Madeleine Béziers[10] aconteceu inicialmente em atendimentos individuais de reestruturação corporal e em grupos de estudos dirigidos por Lu Favoreto durante longos anos. Ao mesmo tempo, desenvolvi essa pesquisa com a Cia. Oito Nova Dança durante quase quinze anos.

Em 2000, Béziers esteve no Brasil e nos viu dançar. No final do ensaio ela chegou perto de mim e disse: "Sua escoliose te deu muito trabalho, não foi? Mas você sabe bem lidar com ela. Seus 12 anos não devem ter sido fáceis.... Você ficou ressentida nessa época?"

Ela havia lido, em apenas um ensaio de não mais que uma hora, a história do meu corpo, da minha vida e do caminho de expressão que eu tinha bloqueado e, ao mesmo tempo, minhas conquistas com a dança e no processo com Lu Favoreto e André Trindade. Trabalhei muito tentando desvendar esse mistério que estava tão explícito para um olhar tão aguçado.

Hoje, eu sou esse atravessamento das experiências que vivi e das elaborações que pude fazer, algumas em meu próprio corpo e outras compartilhando vivências com outros corpos.

Entendo que a abordagem de Béziers, assim como muitas pesquisas nesse campo somático[11], geraram pensamentos e práticas bastante distintas em cada um de nós que experimentamos processos profundos de descoberta em atendimentos individuais ou em criações artísticas.

ATRAVESSAMENTOS

Danço desde sempre e não me lembro da minha vida sem dança.

Vejo os corpos em movimento e reconheço as pessoas pelos seus gestos. Não me canso de ver corpos dançando e nunca vi danças iguais. Isso é o que me comove e o que me move. Comovida, no sentido literal da palavra – de mover, deslocar e, também, de estar sempre em estado de encantamento pelo movimento.

Nos diferentes grupos de dança clássica, moderna, contemporânea, performance, teatro físico, em trabalhos que buscam uníssonos e semelhanças e nos que apostam na improvisação e na diferença, nunca vi uma pessoa se movendo igual a outra.

A expressão é sempre um transbordar do universo íntimo e da maneira particular como o sujeito lida com o mundo. A estrutura do corpo humano pode ser semelhante, mas as combinações, organizações, desorganizações e relações são infinitamente distintas.

A natureza do corpo é magicamente complexa.

Chamo de estrutura uma engrenagem refinada que constitui o corpo e lhe dá forma e função. O corpo é a integração entre o físico e o psíquico, e traz consigo a possibilidade plena de organização e bom funcionamento. Por meio do movimento, o corpo entra com naturalidade em processo criativo quando o fluxo interno está liberado e tem permissão para transbordar.

Como educadora somática e do movimento, me interessa a ideia de preservar a natureza do corpo, conhecer a história de cada um e buscar a potência expressiva. Dou aulas de expressão corporal há vinte anos. Vejo a espontaneidade da criança pequena e seu desejo genuíno de jogar, representar, viver outros estados. Vejo também o momento em que ela vai se enrijecendo, ficando mais crítica, julgando suas ações e deixando de brincar. A expressão livre vai se tornando uma expressão modulada.

Me tornei mãe e vi duas crianças se desenvolverem. Na maternidade, vivi um deleite amoroso. Meus dois filhos alargaram meu coração e me colocaram em estado de completa paixão pela vida. Não imaginava que a vida viesse assim com tanta força.

O elo mãe-bebê se faz por uma linguagem do corpo, uma comunicação afetiva do movimento e da relação entre corpos.

O parto. O peito. O colo. O choro. A saciedade. A espera. A criação. O encontro.

Estava tudo ali. E a cada dia, e os dias são longuíssimos com um bebê, eu ia entendendo mais e mais os processos criativos.

Fui relacionando aquela vivência com tantas outras de criação em arte. O olhar acolhedor e de encorajamento é fundamental para permitir que a experiência da vida de fato aconteça e, assim, a construção de autonomia se dê.

Mas vejo que é muito comum as crianças, pouco a pouco, irem sendo colocadas em processos de aprendizado que as distanciam da percepção e dos impulsos primordiais. São processos ansiosos por resultados, muito mais preocupados com quando as etapas serão ultrapassadas do que com possibilitar que cada um, a seu modo, realize seu processo com integridade.

Também vejo uma cisão preocupante entre corpo e mente, que fragmenta o pensamento e inibe o acesso a um campo de conhecimento sensorial e perceptivo. Essa falta de acesso prejudica a imaginação e a construção de universos simbólicos, dificultando a elaboração de processos emocionais e cognitivos.

Entendo que corpo é relação, atravessamento, entrelaçamento, história vivida, memória impressa, um conjunto de inscrições subjetivas. Me interessa ver o transbordamento, o que vaza, o que sai de dentro de cada um, com assinatura e poética próprias.

Como facilitadora de processos expressivos, meu desejo é que este livro encoraje artistas e futuros artistas da cena em seus processos criativos; que sirva de apoio para professoras e professores de expressão corporal; e também que seja útil para todas as pessoas que queiram ampliar o conhecimento de si e habitar o próprio corpo.

2

Abordagem somática: *A coordenação motora*, de Piret e Béziers

A obra *A coordenação motora: aspecto mecânico da organização psicomotora do homem*, surgida na Europa em 1971 e publicada no Brasil em 1992, considera o movimento um sexto sentido que dá suporte a outras estruturas humanas, especialmente à estrutura psíquica.

As duas autoras, fisioterapeutas, realizaram, nos anos 1960-70, um estudo profundo sobre o aparelho locomotor, estrutura universal e comum a todos os corpos, vivida de forma particular e personalizada por cada um de nós.

Para uma bailarina como eu, essa abordagem não só é instigante como pesquisa; responde também a muitas questões sobre o funcionamento do corpo. Na dança, essas informações são utilizadas, sentidas e percebidas em cada gesto, em cada ação.

O que as autoras fizeram foi descrever o percurso do movimento por um olhar interno, que revela uma anatomia viva e pulsante. Isso já seria absolutamente encantador. Mas sua obra vai muito além.

Piret e Béziers revelaram princípios de uma organização fundamental do movimento, uma mecânica comum a todo movimento humano, que é anterior ao movimento individualizado e personalizado. O movimento é gerado por um jogo de tensões, alavancas e torções. E, analisando casos clínicos, também observaram que a expressão corporal se encontrava reduzida em corpos mal coordenados em que esses movimentos não aconteciam de forma plena:

> Assim, pareceu-nos que, por trás da variedade dos movimentos da pessoa normal, adaptados a cada objeto e finalidade, podíamos encontrar, inscrito na anatomia humana, um movimento de base, independente do objeto e do meio externo, que chamaremos "movimento fundamental". (Piret e Béziers, 1992, p. 12)

A coordenação motora está disponível em nós, mas a tendência é irmos perdendo a consciência do corpo e a conexão com ele. O movimento é tridimensional e fluido, mas manter a estrutura flexível e móvel é um grande desafio.

Resgatar esses movimentos fundamentais é redefinir nosso desenho anatômico, garantir a forma da estrutura e seu bom funcionamento. O trabalho de organização do movimento é um modo de recuperar essa mecânica por um olhar muito concreto que explora como cada corpo se move.

Piret e Béziers são pioneiras em propor uma visão integrada do corpo. Sua busca é uma síntese da estruturação do movimento com um olhar unificado entre a motricidade e o psiquismo. Trata-se de conhecer os mecanismos do corpo e os percursos do movimento.

O corpo carrega a história de cada um de nós. Pelo movimento, reconhecemos a nossa história e temos a chance de encontrar nossa identidade. O corpo, aqui, é tido como um lugar. Um lugar de troca e de relação.

Por essa abordagem, pude entender que é o movimento que dá ao corpo sua forma. Nossos movimentos cavam espaços internos e formam nossa estrutura. Eles ficam registrados na forma do osso e dão, a cada um de nós, uma arquitetura.

Nossas estruturas vão sendo marcadas, então, por nossa trajetória em movimento e, portanto, por uma particularidade, por um temperamento, por nossa personalidade, como nos diz André Trindade.

Também é pelo movimento que adquirimos a percepção da nossa imagem. É um trabalho ativo e continuado, que modifica a imagem que temos do corpo e nos permite achar novas maneiras de usá-lo.

O ponto de partida é perceber-se internamente. Habitar o corpo por dentro. Depois disso, perceber como se dão as relações, o que nos move, o que nos modifica e quais são as implicações no corpo: "A maneira pela qual uma pessoa é levada a modificar-se para participar do "Outro" faz com que, ao mesmo tempo, conheça o "Outro" e se conheça, conheça sua própria maneira de ser, sua própria personalidade" (Piret e Béziers, 1992, p. 146).

Há uma relação íntima entre motricidade e personalidade. Temos todas as possibilidades dadas pelos movimentos fundamentais e vamos, pouco a pouco, transformando-os em movimentos personalizados. A partir desse ponto é que as autoras afirmam, no final de seu livro, que a coordenação é autônoma, construindo o psiquismo e servindo a ele: "O movimento, cuja mecânica é complexa e se traduz por formas complexas, é sempre vivenciado em clima afetivo particular à pessoa e ao momento no tempo" (Piret e Béziers, 1992, p. 149).

Cada indivíduo expressa sua trajetória, sua rede de afetos. Como reconhecer nossa estrutura, nossa trajetória em movimento, nossas organizações e desorganizações? Como esse resgate altera nossa condição expressiva?

Com essa abordagem, comecei a pesquisar a rede de afetos na expressão do corpo e algumas compreensões passaram a nortear minhas investigações. Meu foco recaiu sobre a escuta, a presença, a afetividade e as relações. Comecei a procurar maneiras de garantir a experiência, a porosidade e a disponibilidade.

Há muitas maneiras de definir esses conceitos. Tento aproximá-los das minhas investigações como bailarina e educadora somática, dos meus modos de escavar e deixar transbordar. Também uso os processos de transbordamento de minhas alunas e meus alunos, especialmente os do Célia Helena, que despertaram meu olhar e fortaleceram minha pesquisa. Busco entender a semelhança da estrutura e a pessoalidade no movimento.

3
Escuta e presença

Escuta é um estado de atenção específico, uma via de acesso para o corpo ouvir a si mesmo. Isso significa que esse estado de atenção amplia a percepção e aguça os sentidos. Costumo dizer que é uma escuta do que está acontecendo dentro e simultaneamente do que está fora do corpo.

Porém, não se trata de uma divisão de atenção, e sim de uma somatória. E, exatamente por isso, exige uma ampliação, uma dilatação.

Falamos em cinco sentidos: tato, olfato, paladar, visão e audição. Nós, pesquisadores do corpo, como eu já disse, consideramos o movimento o sexto sentido, aquele que promove a integração entre todos os outros e coloca o corpo em relação com o espaço e o tempo.

O estado de escuta é o que permite estar conectado consigo e se relacionar com o outro. Um "pode falar que eu escuto". Um modo de escutar que promove a relação e a torna mais intuitiva e generosa. A confiança mútua em uma conversa sensorial.

A linguagem do corpo, que não é racional nem adaptada, recupera sua forma sensitiva, perceptiva, intuitiva, instintiva. Um gesto, de fato, diz mais que mil palavras.

> É indiscutível que trazemos no corpo as marcas de uma vida e que, frequentemente, temos um projeto para esse corpo. Os olhos ora estão voltados para o passado, ora para o futuro. E, entretanto, a coordenação motora não deveria vir qualificada por aquele, nem orientada por este. Os corpos que se fixam num projeto corporal para o futuro, ou aqueles que estão sempre tropeçando nas considerações do vivido, não se lembram de que a "coordenação" deve acontecer em "território neutro", sem explicações e sem propósitos ou justificativas, e deixam de usufruir o prazer de experimentá-la livremente. (Bertazzo, 1992, p. 8)

O trecho acima foi escrito por Ivaldo Bertazzo[12] na apresentação da edição brasileira do livro de Piret e Béziers. Aqui, ele nos instiga a pensar num tempo presente muito preciso. Não é o passado do presente. Não é o futuro do presente. Mas o presente do presente, aquele exato momento em que algo acontece. O trabalho com a coordenação motora nos dá essa possibilidade de habitar o tempo exato da experiência, ou do acontecimento.

Pensar o tempo presente me permitiu pensar presença cênica. A presença pode ser compreendida simplesmente como o fato de alguém estar em algum lugar. Pode ser também o fato de existir, o que já torna esse conceito mais complexo.

Convoco aqui muitos pensamentos e estudos sobre presença. Estar presente. O que isso significa? Costumamos estar sem estar.

O estado de presença, presentificar, é estar no momento presente sem se perder no passado nem tentar antecipar o futuro. Simplesmente estar. Estar conscientemente. Esse é o grande desafio. Por isso a escuta e a presença estão relacionadas. Podemos nos mover sem perceber. Nossos movimentos automáticos não estão atrelados aos nossos pensamentos e, portanto, não estão conectados às sensações, percepções e emoções.

Assim, presença é um estado de atenção plena em que a escuta permanece viva e latente. Estar em contato interno para poder se relacionar com o outro e com o entorno sem se perder. A escuta é o apoio que garante que a pessoa não se perca das próprias sensações. Esse apoio está no corpo. É aqui que o trabalho de organização do movimento nos ajuda. É na incessante busca interna de reestruturação do corpo que nós nos mantemos vivos e pulsantes.

A palavra "presença" poderia ser substituída pelo termo "acontecimento" no campo das artes? Sim, se entendermos que a presença acontece em relação a algo ou alguém. Não existe por si só. Vamos existindo conforme experimentamos nossa trajetória de vida. Vamos tomando consciência de nós mesmos na medida em que vivemos.

Portanto, a presença é um estado de atenção permeável. Trata-se de um estado de atenção que não é fixo; ao contrário, está em movimento constante sem deixar de estar focado. Procuramos um estado de presença vulnerável. Vulnerável não porque se fragiliza, mas porque é mutável.

"A presença está em se dar a ver, dar visibilidade para o que você está investigando", dizíamos na Cia. Oito Nova Dança. Este é o acontecimento para mim. Estar dentro e fora ao mesmo tempo e no tempo presente da ação. Deixar transbordar. Permitir que o outro veja.

Sonho 1

Sentia muita dor na perna direita. Era difícil caminhar.
Me fisgava a virilha e a dor refletia na coluna lombar...
Estava em minha casa, no meu quarto, a cama branca.
Entram duas mãos. Mãos sem corpo. Só mãos.
Começa uma sessão de massagem com toque
profundo. Uma voz oculta me diz que terá de
aprofundar ainda mais o toque. Concordo.
Vejo o osso. Cabeça do fêmur dentro da bacia. E logo,
pelo púbis, as mãos vão me abrindo ao meio.
Do púbis à divisão das cristas ilíacas, abrem-se minhas
costelas, esterno, escápulas, meio da face, separam-se
meus olhos e o crânio se divide em dois pedaços.
A separação do meu corpo ao meio não me causava
dor; ao contrário, eu sentia alívio.
O movimento era lento e contínuo, recheado de
imagens, uma espécie de vista interna do corpo bem
mais poética do que sangrenta.
Me envolvia com prazer enorme naquela arquitetura
linda. Quarto e paredes tão brancas que já não se
definia bem o ambiente.
Eu, dividida em duas, me via e me reconhecia só de
um lado ou só do outro.

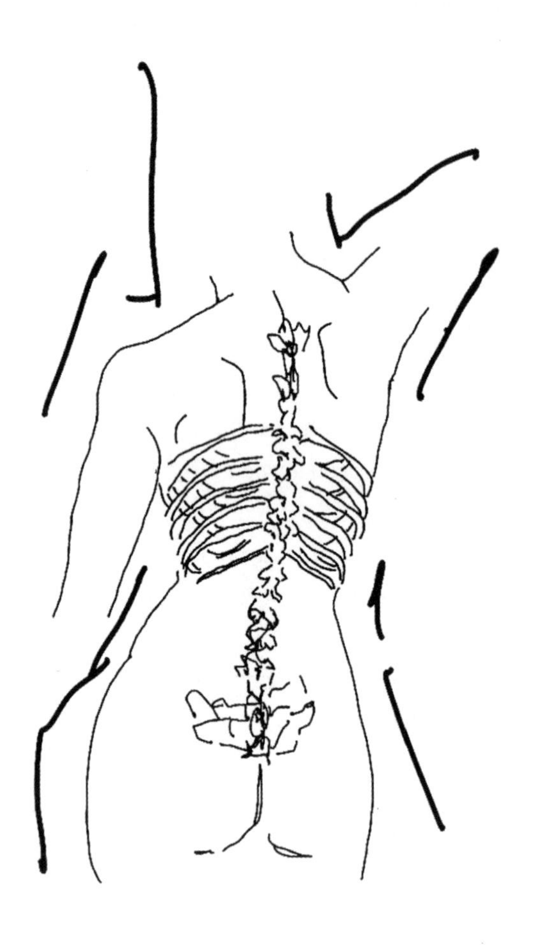

4
Corpo é relação

Nas aulas, costumo usar uma frase quase sem sentido: "generosidade é técnica". Com essa afirmação, quero dizer que "oferecer" a própria investigação de movimento ao outro é, ao mesmo tempo, um ato generoso, de doação, e técnico, no sentido de saber fazer isso, de ter domínio sobre "se dar a ver". Proponho o trânsito fluente do que está dentro e do que está fora. Dentro e fora de mim. Dentro e fora do outro.

Nas minhas experiências, o conceito de corpo como relação é dado, mas, ao mesmo tempo, precisa ser revisitado diariamente. Procuro, incessantemente, me colocar em relação e estar com o outro em minhas investigações. Busco um pensamento integral de corpo inteiro.

Fico sempre impressionada ao pensar em como a integração nos escapa. Rápido. E me vejo, frequentemente, fazendo um exercício árduo de pensamento-sensação para recolocar a experiência no primeiro conceito. Corpo é relação. Conhecimento de corpo se dá no encontro consigo e com o outro.

Relação é troca. Relacionar-se é a ação de dar em retorno e levar consigo. É na relação que a gente se vê. É para o outro que a gente se revela. Encontro simultâneo.

Noto que o encontro é de difícil reconhecimento para quem perdeu a capacidade de estar em experiência, de ser afetado pelo fluxo contínuo de experiências. Entrar em experiência é deixar-se afetar. Isso supõe um risco e gera medo.

Estar em experiência. O que isso quer dizer? O filósofo Jorge Larrosa Bondía nos diz que experiência é o que nos passa, nos atravessa. E para nós, artistas, isso é inquestionável.

Mas a experiência supõe algo fora de nós que nos acontece e passa a ser nós mesmos, na medida em que nos transforma. Algo exterior que acontece dentro de nós. Larrosa Bondía diz que a experiência é um movimento de ida e de volta. De ida porque supõe um movimento de externalização, e de volta porque nos afeta.

Muitas vezes deparamos com a nossa dificuldade de "deixar passar". Com uma espécie de bloqueio, de fechamento, de rigidez. Para que esse caminho de ida e de volta aconteça, temos de estar abertos, disponíveis e permeáveis. Mas os sentidos podem estar inativos e o que acontece conosco nem sempre é registrado por nós. Nos acostumamos a viver assim, adormecidos. Sem escuta. A vida segue e a consciência diminuída parece mais nos proteger do que fazer falta. É como se, ao não perceber, estivéssemos em um lugar mais seguro.

Nas palavras de Larrosa Bondía (2006, p. 89, tradução nossa),

> [...] a experiência supõe também que algo passa do acontecimento até mim, que algo vem até mim, que algo me vem ou me ad/vém. Esse passo também é uma aventura e, portanto, tem algo de incerto, supõe um risco, um perigo. De fato, o verbo "experienciar" ou "experimentar", que seria "'fazer uma experiência com algo" ou "sofrer uma experiência de algo", se diz, em latim, *ex/periri*. E de *periri* vem, em espanhol, a palavra

"perigo". Este seria o primeiro sentido desse passar. Que poderíamos chamar de "princípio de passagem".

Seria impossível precisar os resultados de uma experiência, porque ela é sempre um processo particular e único. Quando Larrosa Bondía diz que há algo de incerto na experiência, nos mostra que não sabemos o que exatamente aquele acontecimento fará conosco. É por isso que, para experimentar, é preciso estar disposto e vulnerável. A experimentação provoca, inevitavelmente, uma mudança; no entanto, é impossível prever ou controlar seus impactos em nós.

A ideia de se disponibilizar para um risco, físico e psíquico, é tentadora para o criador de arte. A experiência está do lado da paixão, da disponibilidade, da vulnerabilidade. Por isso nem sempre estamos prontos. O que nos escapa? O que nos impede de nos colocar em risco? Por que não entramos com facilidade na experiência de corpo integrado?

CISÃO

Muitos registros sobre a experiência vivida no corpo se dão a partir de um entendimento de corpo cindido. Esses registros são nossas referências internas, que nos possibilitam validar mais ou menos nossas experiências futuras. Não há corpo sem história, porque não há história sem corpo. Mas aprendemos a separar o que vivenciamos como se fossem lugares distintos de ser ou existir. Como se fosse possível só pensar ou só sentir.

A cisão entre corpo e alma, entre corpo carnal e corpo ideal, entre corpo e mente, nos impede de sentir o corpo como um sistema integrado. Ideias que afirmam que o corpo estaria em lugar distinto e aquém do pensamento racional. Com essas divisões estabelecidas como normas, passamos a nos sentir assim: em duas partes.

Temos uma história que influenciou nosso pensamento ocidental, no qual o corpo é definido por sua cisão. Na Grécia Antiga, havia uma hierarquia entre o mundo platônico das ideias e da perfeição e o lugar mundano, feito de cópias imperfeitas do mundo ideal. A religião católica valoriza a alma, a pureza do ser, e vê o corpo carnal como o lugar do pecado, do sofrimento e da punição. E o Renascimento enaltecia a razão e dizia que o pensamento é racional e todo o resto é extensão — pensamento como mente e extensão como corpo. Essas e outras influências geraram cisões que colocaram o corpo em um lugar inferior e dividido. E, mais grave, deixaram o ser humano distante de sua natureza integrada.

Corpo é pensamento. Não há divisão. Sabemos disso. Mas como desviar dessa construção de corpo cindido, separado, que ainda nos influencia tanto?

Renato Ferracini[13] mostra que esses e outros pilares impõem a construção de um pensamento de corpo cindido, que nos leva a uma maneira de apreender o mundo segundo essa construção lógico-racional. E propõe um deslocamento no pensamento e no modo de ver o corpo, adotando uma ontologia relacional que entende que tudo é corpo – e que o corpo está sempre em relação. Assim, o corpo não é sua identidade ou a função que exerce, mas está em processo constante; se faz conforme sua trajetória e na medida em que seus encontros com os outros se dão.

Com essa definição, entendemos que um corpo está sempre em processo de subjetivação. Diferentemente de entender o que se é, somos jogados a entender que estamos sendo. Digo jogados porque sinto que meus apoios mudaram muito quando passei a pensar assim; afrouxaram um pouco, me colocaram em um lugar mais vulnerável. Confesso que me senti tão livre quanto com medo. Uma espécie de legitimação de um pensamento para o corpo e, ao mesmo tempo, uma abertura, às vezes maior do que suportamos — pois é preciso um esforço de pensamento-corpo para mudar paradigmas.

Esse é o desafio. Como facilitadora de trabalhos de autoconhecimento e expressão, convido minhas alunas e alunos, e agora também o leitor, a reconhecer a herança de um pensamento lógico-racional que influenciou nosso entendimento a respeito do corpo e modulou um modo de conhecer-se e de identificar-se. E, ao mesmo tempo que reconhecemos essa influência, podemos nos pautar pela experiência vivida, que comprova que o corpo se atravessa e se move. A estrutura óssea submersa que passa a ser sentida, percebida e nos apoia em nossas trocas com outros corpos ajuda a entender que é a trajetória que vai nos definindo. O corpo se define em suas relações e pelos seus encontros.

Essa é uma busca incessante, porque sinto que, de certa maneira, estamos sempre apoiados em uma estrutura. Mesmo quando tentamos desconstruir. Mesmo quando já não acreditamos mais nela. Mesmo que, desde sempre, a tenhamos questionado. A desconstrução tem como referência a construção. E talvez seja preciso relembrar sempre esse outro ponto de partida para validar os caminhos de autoconhecimento sugeridos por abordagens de integração e soma.

Ferracini convoca o filósofo Espinosa, que, em meados de 1600, falava dessa unidade. Espinosa entende que o que acontece no corpo acontece no pensamento, e o que acontece no pensamento acontece no corpo. Segundo ele, somos uma só substância, que pensa e age.

Apoiado no pensamento espinosista, Ferracini diz que "um corpo é um conjunto de partes que, na relação dessas partes, definem esse corpo, e só esse corpo, na relação dada".

O corpo é relacional. E o que é relação? É um certo poder de afetar e ser afetado. Se corpo é relação, é movimento, o que move um corpo? O que afeta o corpo? E como o afeta? Como as relações definem o próprio corpo?

Quando falamos de relação, não nos referimos a uma relação de causa e efeito. A relação afetiva se dá em sobreposição. A rede de afetos é concomitante e complexa. Afetar e ser afetado acontecem junto, no mesmo momento. Acontecem, ainda, de maneira consciente e inconsciente. Nos afetamos voluntária e involuntariamente. E lidamos com isso o tempo todo.

Ferracini segue dizendo que o encontro entre corpos se dá pelo grau de potência desses corpos. Potência, aqui, como um conceito espinosista, entendida como essa capacidade de afetar e ser afetado. Assim, a potência afetiva se dá na relação e não antes dela. A única forma de reconhecer a potência é experimentando, se colocando em relação. Esse corpo que experimenta o mundo, que gera conhecimento na experiência, engloba, sem hierarquia, diversas maneiras de conhecer: racional, sensível, intuitiva.

A POROSIDADE, A RECEPÇÃO, O CONVITE

Diz Larrosa Bondía (2006, p. 108, tradução nossa): "A experiência não está do lado da ação, ou da prática, ou da técnica, e sim do lado da paixão. Por isso, a experiência é atenção, escuta, abertura, disponibilidade, sensibilidade, vulnerabilidade, exposição".

As práticas corporais vindas de abordagens somáticas se propõem a trabalhar a consciência do corpo e a relação com outros corpos. Mas tenho visto, em minhas aulas de expressão corporal, que o corpo parece ter perdido sua capacidade de ser afetado. Está menos poroso.

Porosidade é qualidade daquilo que tem poros, o que está repleto de furos, perfurado, permeável. Penso em um lugar arejado, ventilado. Ou em algo esponjoso, que absorve líquidos com facilidade. Sempre me lembro dos ossos porosos. Lembro da primeira vez que vi um osso humano cheio de espaços de ar e de líquidos. Na minha prática, alunas e alunos se acostumam a ver ossos de resina. Temos essa imagem de ossos empilhados e sem maciez. Ou a imagem em papel dos livros de anatomia. Temos ainda uma sensação enraizada de líquidos e sangue como algo que se refere a doenças ou machucados. Percepções deturpadas de pensamentos fragmentados.

É preciso experimentar novamente as sensações. Recolocá-las na percepção de maneira integrada.

Perceber-se poroso é assumir uma natureza composta de estrutura sólida e espaços vazios, espaços líquidos, fluidos, e espaços moles, maleáveis. E é exatamente isso que nos permite o movimento e a transformação.

É também, e sobretudo, assumir a emoção oscilante e cheia de conflitos que habita o mesmo lugar interno. A porosidade no corpo é, da maneira como eu vejo, perceber a estrutura permeável e entender a rigidez dos bloqueios mentais que diminuem espaços corporais — e trabalhar com isso. Ser poroso é exercitar a abertura de espaços, a mobilidade e a liberdade.

Deparo constantemente com o exercício intenso de procurar espaços internos, de soltar o ar, de engolir saliva, de afrouxar as articulações, de dar mobilidade, de sentir cartilagens e mucosas, de deixar o fluxo sanguíneo livre, de acalmar o coração.

Procuro, pelo corpo, abrir o pensamento, que também é corpo. Aqui, abrir significa mudar de ideia sobre as coisas, receber as informações do mundo, transformar dentro, restabelecer relações e criar novos jogos interpessoais.

Falar de porosidade é falar de recepção. Como é difícil receber. Aceitar o que vem para nós, que é, quase sempre, tão diferente do que esperamos, do que foi gerado por nossa expectativa e necessidade de controle.

Aprendemos a valorizar a ação. Nossa atitude ativa no mundo. E pouco buscamos a recepção, a passividade, o vazio. Temos pouco tempo para elaborar o que recebemos e já somos obrigados a novas ações. Na linguagem do corpo, o silêncio de movimento, a espera, a escuta de que falávamos antes é uma resposta muitas vezes mais verdadeira.

Observo que a recepção está intimamente ligada ao convite para o jogo, para a relação. Quando exercitamos a recepção, ficamos repletos de nós mesmos e temos o que compartilhar. Repletos de sensações internas, somos também mais generosos. É comum ver alunas e alunos emocionados, repletos de si. Logo depois disso, se colocam disponíveis para o outro. Fazem, quase espontaneamente, o convite para a troca criativa. Ser de novo. E de novo. Abrir um pouco mais. E um pouco mais.

ELOS

Segundo Denise Sant'Anna (2001, p. 105), "um corpo tornado passagem é, ele mesmo, tempo e espaço dilatados. O presente é substituído pela presença. A duração e o instante coexistem. Cada gesto expresso por este corpo tem pouca importância 'em si'. O que conta é o que se passa entre os gestos, o que liga um gesto a outro e, ainda, um corpo a outro".

O trabalho de consciência corporal diminui a distância entre a consciência e o inconsciente, porque torna mais perceptíveis as pulsões e os desejos da pessoa, já que trabalha com energia vital, escuta interna, transbordamento de materiais expressivos escondidos. Na consciência temos as experiências que vivemos, nossas ações intencionais, e as percebemos como lembranças, memórias. Trabalhar a ampliação da consciência significa tornar perceptível o ilimitado material sensitivo, imagético e simbólico do inconsciente. Ampliar a percepção é deixar o corpo integrado e mais aberto, mais permeável, mais disponível, mais vulnerável, mais livre.

Sei bem, não é fácil dispor de um novo espaço interno. A ampliação da percepção nos coloca em outro lugar de reconhecimento de nós mesmos. Uma espécie de "desaparecimento", uma abertura dos limites determinados até então. Limites e contornos pelos quais nos conhecemos e temos domínio sobre nós mesmos e nossas ações. Daí a vulnerabilidade de se reconhecer na relação, no outro, na experimentação. A coragem de "se deixar ser", em processo constante de autoconhecimento.

A coragem é assegurada pela condução do professor, e a experiência prévia que esse facilitador carrega no próprio corpo é que será sentida por quem está em investigação. Relembrando, o que faz uma pessoa se encorajar é o contato com sua estrutura óssea.

Por isso é tão forte entender que, como diz Sant'Anna, "o que conta é o que se passa entre os gestos, o que liga um gesto a outro e, ainda, um corpo a outro". O elo entre os corpos é o que define cada corpo.

Acredito que é exatamente nesse ponto que o trabalho de expressão corporal se inicia. É também onde tenho certeza de que nunca vai terminar. Porque esse vaivém do que está submerso no inconsciente, e do que vem à tona na consciência, é o caminho do conhecimento – sendo também o próprio ato criador.

Não tenho dúvida de que a experiência acontece quando nos permitimos experimentar, porque a experiência está no campo do que não sabemos, do que está por vir e fora de nosso controle.

No corpo, a experiência está no "não pensar" que sabemos: é pensamento integrado. Digo "não pensar" para salientar que não me refiro apenas ao território do pensamento racional, mas também a um saber específico das percepções, das sensações, da intuição e do movimento. Um todo integrado que pensa, age, age, pensa.

Sonho 2

Sonho sempre com a mesma praia. Chego ali em muitas noites.
No canto tem uma mata fechada.
Sei que só eu posso atravessar.
Mas nunca tinha ousado atravessar antes.
Nessa noite atravessei.
Cheguei em uma tribo indígena. Andei muito. Muito.
Chegamos do outro lado. Mar aberto.
Sabia que eu só voltaria para casa se fingisse estar morta. Fui enrolada nua em folhas de bananeira.
Meu corpo atravessou o mar alto, carregada por homens, mulheres e crianças.
Ao ser colocada na areia branca, eu não sabia mais como andar...

5
Afetividade: medo e desejo

Suponho que a afetividade é o habitat do ser humano. A afetividade está relacionada a tudo que nos afeta. Não está restrita ao campo amoroso; diz respeito à rede de afetos, como um campo mais amplo de afecções.

"Sentimento é uma sensação no corpo", diz Alexander Lowen[14], que sempre pesquisou e ensinou modos de conseguir, como ele diz, um corpo conectado à cabeça, de se sentir integrado, inteiro. "Você é seu corpo", afirma Lowen, "a mente não domina o corpo".

Na nossa cultura, existe um dilema entre corpo e mente. Como vimos, essa unidade foi sendo fragmentada e vivenciada em partes, como estruturas distintas.

Em trecho de entrevista divulgada no canal de Dante Moretti no YouTube[15], Lowen diz:

> Sentimento é uma coisa muito simples: é você sentir seu corpo. E, para sentirmos o corpo, ele tem de se mover, porque algo que não se move não pode sentir, está morto. [...] Falamos de sentimento o dia todo, mas não é dele que estamos falando, e sim de uma ideia Sentimento é uma sensação pela qual somos capazes de experimentar o que está acontecendo no nosso corpo.

Conhecer o corpo internamente é um caminho, uma via de acesso, para sentir a integração. Um trabalho psicomotor age sobre sua expressão, seu gesto e sua emoção. Quando trabalhamos o movimento, também trabalhamos a psique. Quando um gesto é modificado, também a emoção é transformada. Se mudo o que percebo, mudo o gesto, mudo a emoção.

No livro *O bebê e a coordenação motora* (1994), Béziers e Hunsinger fazem uma descrição do bebê quando pega na mão da mãe: ele escolhe o gesto amoroso para segurar. Essa tensão, tão especialmente escolhida, tem que ver com afeto. O gesto expressivo é um gesto vindo da rede de afetos.

Quando proponho estudos corporais em aulas ou ensaios, falo de uma prática que acontece no corpo. Isso significa que a investigação emerge da sensação física presente naquele momento. A sensação convoca emoções, e estas não serão iguais para todos, pois dependem da história de cada um. É preciso procurar a sensação, escavar por dentro.

A escavação interna é exatamente isso, uma busca no universo íntimo, simbólico, criativo, a reverberação daquela pesquisa de movimento. Esse fio condutor da pesquisa do corpo é muito diferente de uma prática sobre o corpo. Estudar o corpo é estudar a imagem de fora, a forma e o funcionamento das partes, das articulações, ou a movimentação codificada de outros corpos e, portanto, maneiras específicas de se mover. Esse estudo é bastante importante, propõe desafios interessantes, promove o desenvolvimento de novas habilidades motoras. Mas é fundamental, neste estudo, considerar o que acontece dentro do corpo de cada um, acolher os afetos, os modos de sentir. Só assim fica exposto o corpo singular de cada ser, como cada um lida consigo, com o outro, com o mundo. Esse é o corpo vivo e pulsante:

> O corpo vivo é caracterizado por uma vida própria. Tem uma motilidade independente do controle do ego, que se manifesta pela espontaneidade de seus gestos e pela vivacidade de sua expressão. Canta, vibra, brilha. É carregado de sentimento. A primeira dificuldade que encontramos em pacientes que estão em busca de identidade é que eles não estão cientes da falta de vida em seu corpo. As pessoas estão tão acostumadas a pensar no corpo como um instrumento ou uma ferramenta da mente que aceitam seu relativo amortecimento como um estado normal. Medem o corpo em quilos e centímetros e comparam com formas idealizadas, ignorando por completo o fato de que o importante é como o corpo se sente. (Lowen, 2019, p. 201)

A imagem do corpo, o que se vê, o que está por fora, a superfície, é só o invólucro. Corpo é o todo, é o que está dentro e submerso, é o que transborda. É o movimento de dentro para fora que é expressivo. Essa é a expressão única e particular. É o que sai de mim, que carrega o que está registrado dentro de mim.

Mas as pessoas têm medo de sentir o próprio corpo. Observo um conflito: desejo *versus* medo. Um lado de nós quer muito se ver, se firmar, se colocar, se permitir e se sentir livre. E o outro lado tem tanto medo que prefere esconder, negar, se limitar e se aprisionar.

Para Lowen, "a descoberta de que o corpo tem vida própria e capacidade de curar a si mesmo traz esperança. A percepção de que o corpo tem sabedoria e lógicas próprias inspira um novo respeito pelas forças instintivas da vida". O processo de escuta de si, de se colocar presente, de trocar com o outro, é também um processo de encorajamento.

Vejo que esse trabalho exige, essencialmente, confiança. Confiar em uma linguagem do corpo que, embora não seja racional, também não é inadequada. Trata-se de uma linguagem integrada, que considera a rede de afetos, que é composta de sensações, percepções, sentimentos e sentidos. São informações que nos conduzem a formas de expressão muito mais genuínas, mas que são, muitas vezes, vistas como inapropriadas, desajustadas, descabidas, porque não se ajustam a formas conhecidas e saem do controle da pessoa.

Esta é a grande conquista: aceitar os sentimentos, se expressar dentro de uma lógica menos racional, mais ampla e mais complexa. Uma expressão menos reprimida, mais livre. E nem por isso menos consciente.

A questão do controle é vital nas práticas de experimentação. Quando escutamos o corpo, nos colocamos à disposição para experimentar o novo e fazer trajetos desconhecidos. Esse é o risco. O risco está em não conseguir entender racionalmente o que se está vivendo, não conseguir repetir imediatamente e, ainda assim, saber por onde continuar investigando. Essa é a sensação de descontrole que afeta nossa segurança emocional e gera medo em um primeiro momento e liberdade no momento seguinte, já mais maduro.

Tenho deparado constantemente com esse dilema do corpo sensível e do corpo modulado. Vejo que os artistas da cena, de dança, teatro e performance muitas vezes procuram trabalhar o corpo pela imagem, pelo movimento codificado, pela definição muscular e treinos aeróbicos. Alguns se apoiam até mesmo na maquiagem ou no figurino. E, como algo paralelo a isso, fazem análise, terapia, e tentam entrar em contato com seus sentimentos, entender suas questões psicológicas. Mas me parece que todo o trabalho consigo mesmo é para não "precisar mostrar", não deixar escapar, não entrar em catarse.

Entendo que saúde é a capacidade de equilibrar-se, de promover bem-estar, de se reorganizar. Mas não acredito que isso seja possível sem abertura de limites, desequilíbrio e, muitas vezes, mal-estar e desconforto. Aprendi que a desorganização – que talvez possamos chamar de caos – faz parte da reorganização e dos processos em busca de harmonia. Os sentimentos têm um componente irracional que precisa ser expresso para se tornar conhecido, para ser visto, para ficar familiar e mais fácil de lidar. É exatamente esse caráter irracional que nos move. O movimento nos conta o que sentimos, o que guardamos, o que inibimos ou soltamos.

Ainda é novo pensar que as elaborações acontecem de maneira integrada. Tenho visto que o trabalho de consciência corporal e exploração de movimento implica um profundo reconhecimento e aceitação de si, que possibilita uma experiência aberta, de caos e quietude, de desorganização e de organização psicomotora. Aos poucos, esse processo leva a pessoa à própria personalidade.

> Assim, em uma época em que os problemas da psicomotricidade e da personalidade ganham um lugar essencial, parece que a importância da pesquisa deva recair sobre esse aspecto primordial do corpo "organizado" que estrutura a coordenação motora e, através dela, permite descobrir e precisar os mecanismos que, construídos nos corpos, levam ao pensamento, à pessoa. (Piret e Béziers, 1992, p. 151)

O trabalho da coordenação motora de Piret e Béziers propõe caminhos de conhecimento e de conexão pela via do corpo. O fato é que é importante pensar em integração, unidade, e não mais em dualidade.

> Nosso corpo somos nós. É nossa única realidade perceptível. Não se opõe à nossa inteligência, sentimentos, alma. Ele as inclui e dá-lhes abrigo. Por isso, tomar consciência do próprio corpo é ter acesso ao ser inteiro... pois corpo e espírito, psíquico e físico, e até força e fraqueza representam não a dualidade do ser, mas sua unidade. (Bertherat, 1991, p. 14)

Há muitas maneiras de se trabalhar a conexão mente-corpo, pois são infinitas as variáveis considerando-se as abordagens somáticas, as intervenções de quem propõe a pesquisa e a recepção de quem experimenta.

O meu trabalho se inicia na sensação física, na estrutura óssea, na organização do esqueleto. Busco abrir espaço e gerar novas acomodações e entendimentos. O guia é o peso do corpo e a relação com a gravidade. Deixar-se pesar, soltar, relaxar, empurrar, reequilibrar. As manobras são delicadas e a manipulação é feita pela própria pessoa, no seu tempo e na medida de seu amadurecimento.

O corpo bem coordenado ganha flexibilidade, soltura, ar. As tensões ficam mais evidentes. Os espaços fechados e bloqueados passam a incomodar. Como a observação também é feita de maneira integrada, a pessoa consegue identificar fatores emocionais que a tensionam. Ela pode olhar para si, identificar a tensão, e achar novamente um estado de relaxamento e reequilíbrio de tônus.

A questão da identidade é central no campo expressivo. Alexander Lowen (2019) nos diz que o ego se desenvolve por um lado pela percepção e sensação do corpo e, por outro, pela expressão dos sentimentos.

Sabemos que há muitos obstáculos para se manter em contato com os sentimentos. Família, escola, sociedade tendem a doutrinar nossas condutas e manipular nossos desejos. Logo, nos vemos distantes da nossa identidade real. Criamos papéis, maneiras de ser que cumprem melhor a função de agradar os outros, ou de caber em determinados lugares, profissões, demandas. Esse modo de ser não necessariamente é consequência de nossa escuta interna e de nossas escolhas íntimas. Ao nos darmos conta de que nosso comportamento afeta o outro, passamos a medir, ajustar a forma, procurar maneiras de nos comunicar que confundem um pouco o que identificamos de nós mesmos.

> O sentimento de identidade se baseia na consciência do desejo, no reconhecimento da necessidade e na percepção da sensação corporal. Quando um paciente diz: "Eu não sei quem sou", na verdade está dizendo: "Eu não sei o que sinto, o que quero ou o que necessito". Ele sabe que precisa de ajuda, mas, além disso, sua autoconsciência é limitada e sua identidade, vaga. (Lowen, 2019, p. 223)

Percebo que um trabalho corporal contínuo ajuda, e muito, no processo de construção de identidade. Também vejo como esse trabalho gera amadurecimento para o artista cênico. Em cena, os sentidos ficam mais aflorados e a experiência é muito intensificada. A pessoa acaba por expor o que traz consigo. Essa exposição deve ser uma escolha consciente, mas muitas vezes não o é. A intensidade da vivência deixa transbordar também o que é inconsciente e pouco elaborado. A exposição de um lugar desconhecido parece infantil e prematura e gera insegurança. Mas, ao contrário, a exposição de uma fragilidade trabalhada e consciente é potente e forte.

Sonho 3

Meus pés nas pedras.
Pés raízes. Abertos e espalmados. Bem firmes e sem dor.
Eu estava em um rochedo vendo o mar.
Mar infinito e sem horizonte.
Do mar vinha uma voz gritando meu nome.
O grito era alto e agonizante.
Não tive dúvidas.
Pulei.
Era um mar de sangue, vermelhoescurobordô.
Eu não enxergava nada.
Mas nadava, nadava, nadava.

6
Vias de acesso: quatro procedimentos

Como reconhecer o corpo, as sensações, e como esse resgate da unidade psicomotora, a integração corpo-mente, altera a nossa condição expressiva?

Proponho uma prática NO corpo e não SOBRE o corpo. Uma prática que parte de dentro, das sensações, da percepção. Me importam os modos de sentir, de se identificar. Acessar, como venho falando neste relato, uma linguagem própria do corpo que não é racional, nem adaptada, mas sensorial, sensitiva, perceptiva, instintiva, intuitiva, primordial.

Ao longo desses anos, desenvolvi procedimentos para a investigação corporal que buscam a escavação interna, a ampliação da percepção e dos sentidos, e abrem a disponibilidade para compartilhamentos poéticos.

Esse trabalho se destina aos artistas da cena e a estudantes em formação artística em dança, teatro e performance. Acredito que também possa servir para aqueles que se interessam pelo trabalho com o corpo como um caminho de autoconhecimento e expressão.

Chamo esses procedimentos de **vias de acesso**. São percursos, caminhos, túneis dentro da arquitetura do corpo. Trajetórias já percorridas e esquecidas por nós. Sensações e conexões que deixamos de perceber e de sentir.

Estar em contato com a estrutura óssea e muscular. Sentir maior ou menor equilíbrio de tônus. Identificar relações organizadas e desorganizadas entre partes do corpo. Saber por onde passa e por onde não passa o ar. Deixar o peso agir. São todas maneiras de estar presente e de ver, detalhadamente, a nossa construção e a mudança diária que nos acontece.

É importante ressaltar que o contato com o osso é fundamental: reconhecer a estrutura e lembrar que nossos movimentos estão registrados nas formas dos ossos. Como explica André Trindade, é o próprio movimento que vai cavando e esculpindo internamente as superfícies articulares; portanto, a estrutura óssea está marcada diferentemente por cada um no nível mais profundo, que é o osso. Essa é a arquitetura que nos sustenta. Saber da estrutura óssea faz parte essencial do processo de encorajamento e apoio interno.

E como esse trabalho que parte do osso e da estrutura pode contribuir para o artista da cena?

Muitos alunos e alunas, especialmente de teatro, me perguntam: qual é a aplicação desse trabalho na cena? A palavra "aplicação" não faz sentido para mim. Não se trata de uma curva evolutiva que parte de um ponto e chega, impreterivelmente, a outro. Costumo responder que são processos de transbordamento.

Obviamente, essa resposta não conforta pessoas ansiosas por resultado concreto. Quando falo de vias de acesso, pretendo deixar o corpo vivo, em estado de permeabilidade e em lugar habitado. Saber-se vivo é, a meu ver, o primeiro passo para a criação.

Não é aplicação porque não é posterior. Ao contrário, é preparação, é buscar um estado prévio por onde o fazer artístico poderá passar mais livremente. Mas acredito que a palavra preparação pode ser equivocada. Prefiro chamar de resgate. Nascemos preparados, conhecemos os caminhos do corpo e da expressão. Então, trata-se de reabitar, entrar novamente em contato, passar a sentir o que já não sentimos com tanta intensidade e se apoiar em uma linguagem específica do corpo que foi posta de lado.

OS QUATRO PROCEDIMENTOS

São eles:

1. Enrolamento e extensão;
2. Estabilidade e mobilidade;
3. Fundamental e personalizado;
4. Rastros e voos.

Escolho esses quatro procedimentos, com suas implicações em processos criativos, porque acredito que eles contemplam as minhas principais questões sobre o corpo. É importante ressaltar que essa é uma parte da pesquisa. Muitos outros procedimentos apareceram no decorrer desses anos de trabalho e, em consequência, de necessidades específicas de cada grupo de alunos e alunas, ou de cada montagem cênica.

Aqui, no entanto, para este momento, escolhi falar de estratégias que, no corpo, levam a pensar introversão-extroversão, estabilidade-mobilidade, humanidade-animalidade, rastros-voos. Esses são os temas mais importantes, pois percebo que eles tocam a questão expressiva, no sentido de enfatizar a descoberta da identidade, de provocar um pensamento profundo sobre a história vivida e as memórias impressas – e de tocar na questão do medo e do desejo.

1. ENROLAMENTO E EXTENSÃO

Aqui, investigo as inscrições, o que está inscrito, gravado, registrado no corpo; mais especificamente, no eixo central. A base do trabalho de consciência corporal que desenvolvo é a coluna vertebral. O material para trabalhar a coluna passou a ser o foco principal das minhas aulas.

Perceber que a coluna está no centro do corpo e não atrás, nas costas: esse já é um grande passo. Temos a imagem das vértebras pontiagudas desenhando nossa coluna atrás de nós. É importante se ver preenchido de coluna. Tridimensionalmente. O corpo das vértebras está no meio do corpo e por ele passa nossa medula espinhal. A medula contém os transmissores neurológicos e, portanto, toda a nossa história, tudo que sentimos, percebemos, como agimos ou reagimos.

É importante perceber a coluna como um tubo flexível e muito móvel. São necessários às vezes anos de estudo para validar esse conhecimento que já está lá dentro, escondido, desde sempre. Expressamos o que somos, o que estamos sendo, assim mesmo, em processo e inacabados.

Estrutura — Esqueleto

Levo o esqueleto para a sala de aula e peço que procurem dentro de si cada vértebra. O esqueleto de resina é uma representação boa da nossa ossatura, mas, como eu disse anteriormente, sempre relembro alunas e alunos de que é preciso fazer um exercício de reconectar a imagem à sensação, buscar o que não é visível. A ideia do osso poroso ajuda o estudante a entender a mobilidade.

Proponho um trabalho em duplas. É um toque na coluna em forma de percussão. Ao percutir, bater, tentar "tirar um som" do osso, é possível identificar as diferenças entre as áreas da coluna. Iniciamos pela cervical, de pontas mais expostas e mais delicadas. A entrada na dorsal vem acompanhada pelo som de ar da caixa torácica e dos pulmões. Descendo, encontramos vértebras de calibre maior e mais achatadas. São grandes platôs da coluna lombar. Seguimos identificando o sacro e aparece o som da água dos órgãos internos. A pessoa que recebe a percussão sente ressoar a coluna toda. É fácil perceber que as partes compõem um todo e se conectam.

Os exercícios de enrolamento e extensão da coluna tornam essa percepção mais clara. Também os exercícios em duplas nos ajudam muito. Existe um olhar interior, que pode observar, de forma perceptiva e imaginativa, a estrutura. Ele pode ser complementado com o olhar exterior de quem manipula o corpo do parceiro e relaciona o corpo do outro com o próprio corpo. Mas não só: todos os sentidos são convocados na experiência.

Peço que um coloque as mãos no sacro e no occipital (base do crânio) do outro e explore o enrolamento e a extensão da coluna. As mãos do outro se aproximam quando a coluna se enrola e se distanciam quando se estende. A sensação das mãos do outro oferece a segurança necessária para abrir espaço interno e, com isso, ganhar mobilidade em áreas mais rígidas.

Com a prática, cada um consegue escanear seu corpo, identificar espaços de maior movimento e espaços diminuídos. Frequentemente, os estudantes investigadores sabem me contar o que causou a diminuição. Trata-se de um resgate da própria trajetória.

> A primeira motilidade intrauterina ocorre em um enrolamento, e o movimento se constrói de tal forma que, no nascimento, o bebê tem por completo toda a base da organização, tanto do sistema reto quanto do sistema cruzado: ele enrola cabeça-bacia e faz uma torção que opõe bacia e ombros, como vemos na coordenação. (Piret e Béziers, 1992, p. 143)

A ideia de que na fase intrauterina estamos em enrolamento e a extensão acontece com muita força para nascer é bastante forte. Esse resgate, ou esses novos "nascimentos", fazem todo sentido e se conectam com cada ato de criação do artista da cena, com cada ímpeto de sair de si e viver o mundo.

Saber-se coluna, medula, história de vida é muito comovente. Muda o olhar. O olhar fica mais profundo e mais denso. Entendemos que o olho revela toda a arquitetura interna. Sim, a janela da alma, de tudo o que aquele ser viveu.

Tubo interno

No aprofundamento da investigação do enrolamento e da extensão da coluna, podemos também pensar por dentro. O tubo boca-ânus conecta respiração, deglutição e excreção. Esse tubo, tão evidentemente conectado no bebê ou na criança pequena, vai perdendo conexão. Cabeça e bacia se distanciam conforme crescemos. Bloqueios vão se formando e interrompendo a passagem.

André Trindade ressalta que, na estrutura óssea, o eixo vertical é composto de ossos únicos: o sacro, cada vértebra, o osso externo e o osso occipital, base do crânio. O eixo vertical liga os pés ao chão e o topo da cabeça ao céu. Esses ossos verticais se movem em enrolamento e desenrolamento. Já os ossos duplos, os ilíacos, os fêmures, as tíbias, as escápulas, as clavículas, os ossos do braço e os ossos duplos do crânio têm uma forma torcida e entram em relação com o espaço em torção, relacionando dentro e fora do corpo e gerando movimentos de introversão e extroversão.

A unidade tronco é formada pelo eixo cabeça-bacia. Essas duas esferas são ligadas pela coluna, como em uma gangorra de equilíbrio de pesos. Dessa unidade tronco saem os membros inferiores e superiores, que são as hastes de alcance. Quando observamos o desenvolvimento de um bebê, vemos que ele usa braços e pernas para alcançar o espaço externo e trazer de lá uma nova informação para si. É diante dessa informação que ele se reconhece.

O aumento da distância entre a cabeça e a bacia exige que a coluna dê mais suporte. A coluna não é reta. Ao contrário, ela é e deve continuar sendo flexível e cheia de curvas. Equilibrar essas duas esferas pesadas exige muito trabalho. A coluna forma curvas côncavas e convexas em relação à frente do corpo, e cada segmento mobilizado ou imobilizado afeta diretamente o outro. Daí aparecem as desorganizações, como hiperlordoses, escolioses e cifoses. É possível recuperar as curvas anatômicas e reequilibrar o sistema esquelético.

Trago sempre uma linda imagem de Steve Paxton em seu curso *Material for the spine* [*Material para a coluna*], de 2002. Ele lembra que o corpo é revestido por uma única pele. Que a pele de fora entra pela boca e pelo ânus e vira a pele de dentro, que é a pele de fora, que é a pele de dentro, infinitamente. "A camada mais profunda do corpo é a pele". Essa ideia ajuda a reconhecer a coluna como eixo central, de onde agimos, nos colocamos e recebemos o mundo; de onde criamos e transbordamos expressividade.

Passei a propor a meus alunos e alunas a procura de estados corporais pela manipulação das curvas da coluna vertebral. Ao inverter as curvas côncavas e convexas da coluna, organizar e desorganizar o centro do corpo, uma série de estados aparecem e servem de base para a construção de partituras físicas. Inaugura-se um jogo simples, como uma conversa, em que quanto mais o corpo se expressa, mais se reconhece.

Inscrições

Associo o trabalho da coluna à ideia de "inscrições". Chamo de inscrição o que, de tudo que foi vivido, ficou registrado no corpo. É um trabalho de identificação de si. Diversos desdobramentos aparecem daí. Uma proposta é habitar a coluna vertebral a partir de imagens. Trata-se de escolher imagens impressas e tentar achar o estado daquela imagem. Considero uma imagem, como uma foto, um instante no tempo. A investigação está em pressupor sua trajetória antes, durante e depois daquele instante. A base está na organização e na deformação do corpo e em suas implicações para a respiração, o batimento cardíaco, a temperatura, o equilíbrio, a velocidade, o deslocamento no espaço, a colocação de pesos.

2. ESTABILIDADE E MOBILIDADE

> *O campo de movimento do homem, fundamentalmente em mecanismos em 8, sobrepostos, permite uma variedade infinita de movimentos.*
> (Piret e Béziers, 1992, p. 149)

Piret e Béziers propõem caminhos de movimento em forma de oito. Essa imagem do oito deitado remete ao símbolo do infinito.

É uma figura contínua, que liga e permite a comunicação do que está dentro com o que está fora.

Experimentar os oitos é uma maneira de escutar, muito profundamente, o que se passa dentro de nós. Vivi essa experiência por quinze anos. Os oitos horizontais da coluna me traziam muitas memórias, invadiam meus sonhos e davam outra fluência para meus movimentos. Eu vivia, pela primeira vez, a experiência plena da mobilidade. Sentia o corpo tridimensional e alargado. Experimentava um "não pensar". Reconhecia um caminho de movimento que era gerado pela experiência da fluência presente ali, e não mais por uma escolha externa da ação a ser feita. Os oitos verticais da coluna estabilizavam os movimentos, mas me mantinham "viva". Era uma estabilidade que deixava latejante o movimento interno. Tão diferente de parar o movimento ou tentar fixá-lo. Esse apoio estável deixava eco dentro, uma ressonância, um movimento potente e submerso.

O trabalho com os oitos desemboca numa experiência bastante complexa de articulação psicomotora, provocando o trânsito entre corpo interno e espaço-tempo.

Ecoava em mim: quanto mais dentro, mais fora.

Essa informação recorrente no estúdio de criação segue comigo. Para alcançar o espaço externo e se colocar em relação, é necessário mergulhar dentro e na profundidade. Observar a arquitetura interna do corpo e dar visibilidade às elaborações feitas por meio do corpo é carregar e expressar os significados subjetivos e particulares de cada um e construir um universo simbólico, uma poética própria.

Oitos — Béziers

O movimento coordenado se desenrola no espaço em forma de oito, de oitos infinitos, desenho composto de dois anéis que se complementam e têm movimento fluido e contínuo. A flexão e a extensão são organizadas por rotações. Cada unidade de coordenação motora é ligada mecanicamente às unidades vizinhas. Cada anel de cada oito tem relação direta com o segmento correspondente.

Esses oitos são desenhos de movimento interno escavado pelo ar; estão presentes na imaginação e, concretamente, relacionam os dois lados do corpo. Mas não pensamos mais como lados, direita e esquerda, e sim como volumes. Fica evidente a assimetria do corpo, a diferença entre volumes. Achar esses volumes é ganhar tridimensionalidade, habitar espaços, sentir novos apoios e ganhar mobilidade. Movimento global, de corpo inteiro.

Depois disso, leva um tempo para deixar transbordar. Encontrar-se com seus espaços fluidos ou estagnados significa revisitar toda a vida. Existem sensações que se transformam em movimento poético com muita facilidade, mas há outras que aparecem em forma de dor, choro e desequilíbrio.

Ambas nos interessam. Mas é preciso saber o momento exato de deixar vazar. Meu investimento tem sido em acolher a expressão genuína, e isso significa processos mais leves e mais pesados, mais lúdicos e mais catárticos. A catarse pode nos servir ou não. Quando se trata de um processo individual e reservado, expurgar algo, chorar e gritar com agressividade pode gerar alívio e elaborações preciosas. Se falamos de sala de aula ou ensaios, as condições são bem diferentes. A questão não é "deixar sair", mas saber expor e bancar o que aparece.

Sempre dou um contorno. Um limite. Determino o espaço e o tempo para que a experiência possa ser profunda e, ao mesmo tempo, o investigador não perca a consciência de si. Acredito no processo gradativo de autoconhecimento.

Esse aprendizado fica inscrito, e toda vez que nos afastamos dele podemos resgatá-lo com mais facilidade. Se alguém vive um processo de autoconhecimento profundamente, já está informado. Esse reconhecimento não deixa de existir; ao contrário, segue. Essa pessoa passa a se investigar o tempo todo. Está acordada. Já se colocou em relação. Receberá notícias de si constantemente.

Em um processo criativo, esse indivíduo criador, munido de si mesmo, poderá escolher, com cuidado, qual material bruto deixará transbordar para ser lapidado.

Estados corporais

O trabalho dos oitos me remete ao equilíbrio entre estabilidade e mobilidade. Me refiro às estruturas que ajudam a movimentação e às que permitem a estabilização no corpo. Me refiro também aos sentimentos que vazam e provocam ação, e àqueles que, estagnados, provocam rigidez e imobilidade.

Tenho pesquisado a construção de estados corporais — de um personagem, por exemplo, ou de distintas qualidades de movimento — pela investigação interna dos oitos da coluna, criando conexões entre os oitos horizontais, que geram mobilidade e estão apoiados no sistema cruzado, e os oitos verticais, que geram estabilidade e se apoiam no sistema reto.

Nas aulas, recorro a Piret e Béziers para abordar a organização do sistema reto, dos movimentos simétricos, com os dois pés apoiados no chão, e a organização do sistema cruzado, que é assimétrico, quando perdemos o apoio de um dos pés ou elegemos um lado de preferência. Neste procedimento, uso-o para investigar a mobilidade e a estabilidade; no procedimento a seguir, trago a relação com os animais para instigar o dinamismo do sistema cruzado.

3. FUNDAMENTAL E PERSONALIZADO

Neste procedimento, proponho que alunas e alunos procurem o movimento fundamental da bacia, que se dá pela ativação do períneo.

A bacia é composta por três ossos reunidos que formam um conjunto complexo, e nos diz sobre nossa estrutura psicomotora. Segundo Béziers: "Um bom pé começa por uma boa bacia". A bacia, como o apoio principal vindo do chão, é onde todas as forças se organizam. Isso nos leva a pensar, no sentido metafórico, em nossos passos e caminhadas. A noção de centro pode fortalecer nossas tomadas de decisão e nossas escolhas.

Para construir esse centro de força do corpo, o trabalho se detém na musculatura do assoalho pélvico, acionando o períneo. A organização primordial da bacia convoca o paralelismo entre o assoalho pélvico, o diafragma e o céu da boca. Essas três estruturas organizam internamente o corpo, como três andares diferentes. Essa consciência nos leva a imaginar o espaço interno, propõe a ocupação desses espaços e promove equilíbrio e mobilidade.

> A ação do períneo sobre o sacro empurra a plataforma sacral para trás, a quinta lombar também participa, e assim inicia o enrolamento da coluna, enquanto, no púbis, ela dá início à contração dos retos do abdômen. Estes se contraem na direção do umbigo e, encurtando, simultaneamente erguem o púbis e abaixam o esterno.

> A abertura posterior das asas ilíacas leva os espinhais e os feixes posteriores dos oblíquos a abrir as últimas costelas; assim, a bacia provoca na região inferior do tórax o mesmo movimento que provoca a cabeça. No enrolamento, os oblíquos agem juntos no bordo inferior do tórax, para levá-lo para trás e para baixo, abrindo-o lateralmente. (Piret e Béziers, 1992, p. 50)

Nessa descrição, contida no segundo capítulo de *A coordenação motora*, Piret e Béziers nos mostram que a organização da bacia e a ação do períneo têm consequências na mobilidade de toda a coluna vertebral, no movimento de enrolamento e extensão e no equilíbrio entre bacia e cabeça.

O peso da cabeça é o grande desafio da locomoção bípede. Achar esse equilíbrio demanda tempo e diversas tentativas, que são as etapas do desenvolvimento motor. No trabalho com artistas da cena, especialmente atrizes e atores, observo a dificuldade com o porte da cabeça e com o apoio do olhar.

Este trabalho facilita, organiza e dá suporte ao corpo. Também traz consciência acerca do diafragma e contribui enormemente para o trabalho vocal.

Animalidade e humanidade

Proponho, neste procedimento, o estudo da locomoção de diversos animais que nos servem de investigação para ativar sensações instintivas. A investigação parte do movimento fundamental da bacia como centro de força e do uso dos sistemas reto e cruzado no corpo. A organização do movimento integrado, novamente, considera o que foi experimentado por cada um.

O resgate do desenvolvimento motor do bebê e da criança – rastejar, engatinhar, andar, equilibrar-se em um só pé, saltar, correr – cria um paralelo entre a animalidade e a humanidade. O trabalho de identificação e ativação da organização da bacia também traz um centro instintivo ativado. A pessoa, por meio desse resgate, busca entrar em contato com sua expressão instintiva e sua visceralidade.

Diz Lowen (2019, p. 204):

> No nível corporal, o ser humano é um animal cujo comportamento é imprevisível do ponto de vista racional. Isso não significa que o corpo ou o animal sejam perigosos, destrutivos e incontroláveis. O corpo e o animal obedecem a certas leis, que não são as leis da lógica.

Como falamos antes, me parece essencial buscar outras lógicas, que não a racional, para desenvolver nossa movimentação. O trabalho com a bacia me dá oportunidade de explorar o tema animalidade e humanidade no corpo. Para ajudar nessa investigação, tenho me inspirado no kempô indiano, arte marcial milenar que investiga a locomoção de bichos rasteiros, quadrúpedes e voadores.

4. RASTROS E VOOS

Neste procedimento, que chamo de "três borboletas", investigo a semelhança entre três estruturas ósseas e a diferença poética na vivência do movimento. O nome tem origem na forma dessas estruturas ósseas, que lembram borboletas, e em seu movimento pelo espaço-tempo. São elas:

1. Os dois ilíacos;
2. As duas escápulas;

3. O esfenoide (osso que ocupa o espaço interno do crânio).

A relação entre essas três estruturas mobiliza o corpo de dentro para fora.

A bacia faz um pequeno movimento a partir da contração do períneo, aproximando os ísquios e abrindo a borda dos ilíacos. Os ilíacos têm formato parecido com asas e descrevem um movimento em espiral para dentro e para fora.

A bacia permite um voo baixo, rasante, mais ligado ao chão, à terra, com mais peso e apoio. As escápulas, ao contrário, se movem em um plano mais aéreo, em direção aos braços, e seus movimentos chegam até as mãos.

A direção do movimento das escápulas é para baixo e para fora, o que possibilita o posicionamento das mãos no espaço. É muito frequente atrizes e atores não saberem o que fazer com os braços e as mãos em cena, e esse trabalho ajuda enormemente.

Já em relação aos ilíacos, enquanto as bordas superiores se abrem, os ísquios se aproximam e apontam para o chão, estabelecendo uma relação com os calcanhares e ampliando o apoio dos pés no chão. É isso que eu chamo de aterramento.

O pequeno voo das escápulas tem enorme repercussão nos braços e nas mãos e sugere grandes asas e o deslocamento do corpo pelo espaço. Já o aterramento nos serve de âncora, centramento e internalização.

O esfenoide é uma estrutura óssea que ocupa a parte interna do crânio. O desenho do osso é semelhante às asas de uma pequena e delicada borboleta. O movimento é quase imperceptível e apenas acomoda o pequeno deslocamento de peso do cérebro dentro da caixa craniana. Trata-se de um voo curto que gera muita diferença no olhar.

Proponho a investigação apoiada na imaginação e nas sensações corporais de cada uma das partes separadamente e depois vamos relacionando, duas a duas, até o bailarino, bailarina, ator, atriz, investigador do movimento conseguir sentir como uma estrutura apoia a outra. Ao final, relacionando as três estruturas, amplia-se imensamente a possibilidade de movimento.

Três borboletas

O que me aprisiona? O que me permite voar?

O trabalho das três borboletas é o trabalho com o risco. Falo de risco físico e de risco psíquico. A questão é identificar as estruturas de apoio para lançar-se em lugares desconhecidos. Chamo a estrutura óssea e sua organização de rastro, pois entendo que ela nos remete à linhagem da espécie humana, a uma estrutura comum a todos nós. Os voos são as apropriações poéticas que cada um faz no momento da exploração, na maneira de se colocar no espaço, no tempo e de se relacionar com o outro.

Tocar e ser tocado

Aqui, convido o leitor a mergulhar comigo nas considerações que eu relato durante uma investigação de movimento, o que acontece comigo durante a condução e o que observo nos corpos. Esta e outras experiências estão disponíveis nos QR codes deste livro.

Costumo entender meus pensamentos sobre o corpo quando danço ou quando vejo/sinto corpos se movendo. Preciso existir de alguma forma ali, interferir de modo que eu mesma me coloque em relação.

"Toque o outro como se estivesse tocando a si mesmo." Passei anos aceitando e acessando essa informação em mim. Lembro o dia exato em que, ao tocar um corpo, me via tocando o meu. Ao mesmo tempo, podia comparar a estrutura tocada com a minha; chegava a questionar a diferença no tamanho e formato dos ossos. Era como se me desdobrasse. A relação eu/outro se multiplicava em uma espécie de eu no outro, eu comigo mesma, eu nos observando.

Faço sempre esse exercício quando estou lidando com outros corpos. Imagino que estou tocando a mim mesma. Sinto que estou me direcionando para os lugares a que desejo que o outro chegue.

Isso, obviamente, me faz ser mais delicada. A delicadeza tem sido a minha palavra de ordem para conduzir um trabalho de expressão corporal. Não acredito em força bruta.

Tenho me debruçado numa pesquisa muito profunda que não pode acontecer se o convite à profundidade não for aceito. Tratei, então, de aprender a fazer o convite.

Gosto de saber da história pessoal de quem vem trabalhar comigo. Em especial, gosto de saber seus desejos e seus medos na investigação corporal. Ali, mesmo sem nenhuma intimidade prévia, fazemos um pacto. Esse pacto me autoriza a entrar em escavação interna profunda. Cabe a mim, nesse momento, oferecer vias de acesso para que a pessoa possa se "procurar". É preciso ter notícias de si para criar.

Muitos caminhos são possíveis. Tenho a impressão de que se multiplicam a cada novo ciclo de trabalho. E assim infinitamente. São tantos, que poderia me faltar discernimento para decidir. No entanto, os caminhos vão se definindo conforme os encontros acontecem e se determinam quase por si sós. Não me lembro de ter dúvidas do que oferecer para um estudante ou ator/atriz nos processos criativos. Mas isso só acontece porque também eu estou submersa.

Vi muitas pessoas dançarem. Vi muitos tipos de dança. Bailarinas e bailarinos virtuosos, dançarinos impulsivos, gente que dança e dança. Sempre me emocionei com o risco. Mas ficava aborrecida toda vez que via movimentos complexos, bem executados, sem gente dentro.

Até que entendi que o que eu gostava de ver era alguém ultrapassando os próprios limites, fossem quais fossem esses limites. Me dava arrepios quando eu percebia essa qualidade de entrega da pessoa. Que era antes uma confiança em si, no outro, na relação e na própria vida – e depois, muito depois, um movimento arriscado.

Passei a pesquisar o que levaria uma pessoa, um artista, a correr risco.

Sabemos todos que não há "potinhos de coragem" a ser ingeridos ou mapas a ser seguidos. Mas, às vezes esquecemos que a própria pessoa não faz ideia de como se acessar, não sabe mapear-se.

Identificar desejos é uma tarefa árdua, e dar vazão a esse movimento interno com coragem e liberdade é para poucos. Não aprendemos isso. Tive de construir esse conhecimento nas frestas do próprio corpo, que foram se abrindo pouco a pouco.

Percebi que, para ir além, é necessária uma âncora submersa. Um apoio interno. A imagem que me vem é a de um barco pequeno rumo ao horizonte. Um horizonte que sabidamente se desloca cada vez que o barquinho chega perto. Então, uma âncora fincada na areia, que garante tanto a ida quanto a volta, permite que o barco avance.

Quando falo areia, me refiro propositalmente a algo móvel. Entendo que, no processo de descoberta do corpo, esse ponto de apoio se transforma. E é essencial que se mantenha mutante. As referências vão se sedimentando e a pessoa passa a referenciar a si mesma e não mais a outros que a apoiem ou desestimulem.

Arrisco dizer que também são assim as estruturas psíquicas que permitem novos vínculos, transformações e novos impulsos de vida, à mesma medida que garantem a volta "para casa", que dão estabilidade emocional. O contrário disso, observo, deixa a pessoa desencorajada.

Em sala de ensaio, propus que dois dançarinos/atores, Marcelle Lemos e Mateus Menoni, experimentassem entregar o peso da cabeça na mão do outro e procurassem a movimentação gerada a partir disso.

Não se entrega a cabeça a alguém com tanta facilidade. Nem o crânio pesado e muito menos o controle dos pensamentos. Há uma voz longínqua que nos faz associar a cabeça à mente. É comum que a cabeça seja também associada ao juízo. Quem nunca ouviu a frase "não perca a cabeça"?

E, de fato, apesar de não ser essa a proposta, é preciso recolocar essas informações inibidoras dentro de nós e liberar espaços diminuídos.

Dos trabalhos somáticos que conheço, eu sabia que a organização sugerida por Béziers me daria mais suporte para trabalhar.

Se fez urgente organizar a bacia e acionar o períneo. Só assim os ísquios se direcionam para os calcanhares e o primeiro triângulo – bacia e pés – se faz ativo. Depois, escápulas para baixo e para fora nos dão cotovelos e ar entre os dedos, garantindo o apoio das mãos no chão.

Conduzo o improviso e, ao mesmo tempo, convoco a experiência vivida. Isso me dá certa sensibilidade ao tempo da experiência. O tempo é um fator importante. Nossa relação com o tempo cronológico, curto e corrido, já não nos permite "deixar o tempo passar". A experiência é o que nos atravessa, o que passa por nós. Ela dura o tempo sensível do encontro consigo mesmo e com o outro.

Sinto que são muitas camadas de tempo que se sobrepõem em uma experiência de movimento. O tempo da experiência já vivida, misturado com o que está sendo vivido e o que virá, ou será experimentado. Essa é a trama complexa da memória e das histórias reais e sentidas por cada um.

No ensaio, quando já tínhamos uma sofisticação de percepções e ampliação de sentidos, foi possível entregar a cabeça.

Permissão

Permitir é a palavra guia. Logo depois da delicadeza, vem a questão da permissão. Vejo que é difícil dar consentimento para as próprias ações. Acho que a consciência de si também vem para nos fazer essa pergunta sobre o que cada um se autoriza a ser e o que quer se permitir viver. Mas não é possível autorizar algo que não se sabe o que é.

O próximo mergulho, talvez o mais denso, é visualizar a própria coluna, a medula espinhal, e reconhecer suas inscrições, a história inscrita no corpo. Coluna como eixo de ligação flexível entre cabeça e bacia.

A investigação física convoca, sem cerimônia, os discursos de cada um. Como cada um lida com o mundo, o que sente dele, como elabora o que recebe, como digere ou não os acontecimentos, como se coloca em relação e qual é sua atitude.

O jogo que propus consistia em deixar a cabeça pesar nas mãos do outro, mas o dançarino/ator podia interrompê-lo tirando da própria cabeça as mãos de quem o tocava. O jogo se reiniciava cada vez que um dos dois estivesse disposto a mergulhar novamente a cabeça em outras mãos. Seguimos assim por um tempo considerável – não me refiro à duração, mas à densidade da experiência.

A exploração física é também a elaboração de pensamento. Interferi pedindo que um deles me contasse, enquanto dançava, algo que lhe fazia perder a cabeça em suas relações pessoais e íntimas. E pedi ao outro que me relatasse, sobre a mesma ideia de perder a cabeça, algo que estivesse relacionado ao âmbito externo, do sistema em que vive, da política ou da sociedade em que estamos.

O apoio de bacia, escápulas e coluna foi imediatamente convocado. No meu trabalho, não é possível conceber uma investigação sem o apoio na estrutura. A escuta de si lidera os sentidos. Gosto de lembrar que considero que temos seis sentidos. Os cinco conhecidos e o sexto sentido, que é o movimento. No movimento e na fluência, é possível integrar os cinco sentidos do corpo e equalizar a hierarquia entre eles.

Apoiados, os dois criadores começam o jogo. Um jogo de relação que já era, para mim, cênico. Um jogo que gera uma dramaturgia híbrida entre a exploração do corpo em movimento e a escolha, no instante presente da ação, da palavra, verbo, texto de seus universos íntimos e de pertencimento no mundo.

Coloquei essa pesquisa no palco. A pesquisa, aqui, já é processo e produto cênico, simultaneamente. Carrega a procura interna, a abertura de vias de acesso, a exposição. Instaura-se um estado vulnerável que é bom para a cena porque é mais vivo, mais verdadeiro, mais bruto, mais genuíno. Revisita os espaços do corpo e os próprios discursos.

E é por isso que esse processo-produto sugere o risco, já que acontece, de fato, em um corpo que está ali e em relação. Em um desafio que coloca quem experimenta diante de seus limites.

Inevitavelmente. E abre a possibilidade de ir além na entrega e na disponibilidade para o trabalho. De transformar-se. Confio na premissa: tocar o outro é tocar a si mesmo.

Um espectador, ao assistir, está convidado a se colocar em relação. Está sendo convocado também a entregar seus sentidos para a obra em construção e fazer parte dela. Não há mais separação entre quem dá visibilidade ao que experimenta e quem vê a experiência. Não é possível saber, ao certo, quem ou qual sentido lidera a composição entre corpos da cena e da plateia.

Acho vital que os trabalhos nos deem a chance de experimentar a nós mesmos e nos convidem a pensar em nossos lugares comuns e de convivência. Toda arte é política na medida em que transforma o universo íntimo e social. Acredito que devemos nos debruçar sobre isso, exercitar essa potência.

"Quanto mais dentro, mais fora" era a colocação recorrente no grupo de estudos de Béziers na Cia. Oito Nova Dança. Tratava-se de um estímulo para o mergulho interno com a convicção de que ao submergir na profundidade de suas sensações é que seria possível deixar-se transbordar.

Quando você se coloca em risco, convida quem vê a se colocar em risco também. E é exatamente essa a experiência de transformação e de coletividade que a arte propõe.

RELATO SOBRE A PERFORMANCE *RITUAL DE CURA*, POR MATEUS MENONI

"O risco era palpável. Risco físico, risco de o texto não vir, risco de perder a linha de raciocínio. Sem coreografia definida e um roteiro simples, arriscamos. Mas foi nessa vulnerabilidade que o corpo se fez presente. Dois corpos presentes. O corpo é potente quando vulnerável. Porque é vivo, não é apenas marca, não é apenas reprodução. É sentido e sente.

O trabalho corporal é necessário para trazer consciência. Sinto que ele é o controle adquirido a favor do descontrole.

E não ser um corpo sozinho tornou a experiência ainda mais clara. Não era só a minha vulnerabilidade. Havia outro corpo em risco depositado em minhas mãos (literalmente). A ação de 'segurar de cabeça' com a Marcelle, colocando a dela em minhas mãos, e vice-versa, reforçava a minha vulnerabilidade.

Em alguns momentos, nessa segunda experiência de apresentar a cena, senti ainda que o corpo se desconectou da fala. Às vezes, enquanto falava, notava que o corpo estava 'abandonado'. Ou, quando focava no corpo, o texto vinha com dificuldade. Talvez esse seja o trabalho. Talvez essa sensação de desconexão ainda persista pela tentativa de manter tudo controlado e não se entregar à vulnerabilidade.

Aceitar o risco dessa segunda experiência a tornou potente. Senti o texto mais seguro que na primeira vez; estar atento ao texto da Marcelle permitiu que eu criasse conexões com meu texto, sentindo um apoio nos momentos em que a linha de raciocínio parecia se perder.

Essa experiência reforçou, para mim, a potência do corpo no risco, estando vulnerável, vivo e conectado."

RELATO SOBRE A PERFORMANCE *RITUAL DE CURA*, POR MARCELLE LEMOS

"Tínhamos um roteiro dramatúrgico, provocações propostas pela Marina para evocação do texto e duas tarefas corporais, tanto específicas quanto arriscadas, que se intercalavam: era preciso ora estar com os olhos fechados e iniciar o movimento pela borboleta do esfenoide, ora ter a responsabilidade pela cabeça do outro.

Mergulhar de cabeça, entregar a cabeça nunca é uma tarefa fácil, mas os 'saltos de fé' são feitos assim, de olhos fechados. Não trabalhamos com uma partitura corporal rígida e previamente coreografada; pelo contrário, a intenção era a de que o movimento, a dança, surgisse do paradoxo entre risco e confiança, e da reverberação do movimento da cabeça e das sensações convocadas pela provocação do texto para que o movimento pudesse fluir livre de padrões e completamente conectado com o estado sensível em que nos encontrávamos.

O texto deveria ser dito enquanto estávamos ali, de olhos fechados, em movimento constante e intenso, com a cabeça entregue. E era justamente essa dupla tarefa, ou acúmulo de tarefas — que recrutava de nós, intérpretes, diversos processos cognitivos em uma cabeça que não era mais nossa, mas pertencia aos cuidados do outro —, que desencadeava o conflito da pesquisa.

Nesse momento, a tentativa, sempre frustrada, de assumir o controle de uma coisa ou de outra (texto ou corpo) nos levava ou a cair em padrões individuais de movimentos, que se repetiam como uma fuga já aprendida pelo nosso corpo, ou em corpo e texto desconexos, 'perdidos'. Quando nós, intérpretes racionalizando por trás da tarefa, nos dávamos conta do que estava acontecendo, só tínhamos uma escolha a fazer: convocar o estudo das outras borboletas (bacia e escápulas), trazendo o trabalho para dentro, e confiar no parceiro e no que estava acontecendo ali. A entrega total à cinestesia do momento funciona então como um sexto sentido para aquele que está de olhos fechados, e o uso das outras borboletas dá consistência para a fisicalidade e nos tira dos padrões repetitivos.

Nesse sentido, a única estratégia possível é confiar nas sensações que essa mistura de estímulos nos traz, nas histórias prévias marcadas no nosso corpo, e encarar o risco como quem mergulha sem medo num abismo escuro com a certeza de que alguém irá te resgatar."

Sonho 4

Festa.

Era minha casa. Uma casa imensa, de quatro ou cinco andares.

Eu dava uma bela festa para muitos amigos. Amigos de lugares e épocas diferentes da minha vida. Todos muito felizes. Vestiam roupas coloridas e riam alto.

A casa estava cheia de flores. Mesas cheias de frutas. Eu oferecia caipirinhas e drinques para as pessoas. Ríamos.

Eu estava nua. Sem roupa nenhuma e um sapato de salto de madeira. Estava tranquila com isso. Agia naturalmente. Minha nudez não era notada.

Lá pelas tantas, vem uma enfermeira falar comigo. Ela me diz que minha mãe está passando mal. Subo todos os andares. Minha mãe doente, pálida, frágil, me pede um chá. Começo a subir e descer as escadas incessantemente. Levo chá, e compressas quentes, e um balde, e compressas frias...

Minhas pernas doem muito, estou fraca. Eu perco a alegria. Meu trabalho não termina.

Estou muito preocupada. Meus convidados não percebem nada.

7
Liberdade e obediência

Tudo é questão de conforto emocional. Difícil saber precisamente por que uma pessoa sente de um jeito e a outra, de outro. Mas é evidente que a maneira como cada uma lida com o mundo determina o mundo de cada uma. Estamos no mundo e o mundo que construímos está em nós.

Vejo que há uma migração importante entre os pilares emocionais formados por nossas raízes, construídos na família original e ancestral, e os que vão sendo construídos ao longo da vida. As novas escolhas tendem a repetir ou transformar o que recebemos no início da existência. É certo que nos referimos ao que temos, ao que conhecemos. Sabemos que identificar padrões não é tarefa fácil e transformar padrões também não, e tampouco sempre consciente.

Há formas de afeto que nos fazem sentir mais seguros e protegidos, e outras que nos deixam perdidos e amedrontados. É preciso se conhecer. E, nesse processo de reconhecimento, temos de entender as relações construídas na infância, no ambiente familiar e escolar, passando pelas muitas relações que temos durante a vida, até chegar a entender as relações atuais e até mesmo os futuros relacionamentos que queremos estabelecer.

Obedecemos a alguns padrões para não nos colocarmos em risco. Muitas vezes, repetir é mais confortante. Não é comum exercer a liberdade. A liberdade não está vinculada a regras externas, e sim à permissão íntima. Algo dentro de nós que nos autoriza, que nos dá notícias seguras de que seguir não é perder, nem morrer, nem desaparecer.

Carl Gustav Jung diz que sua obra, a psicologia analítica, pretende "romper as muralhas que nos separam da natureza que há em nós". A esse processo de tornar-se si mesmo ele deu o nome de individuação.

Vejo um impasse entre o que desejamos e a maneira como agimos em busca da nossa realização. O dilema entre desejo e medo, quando é consciente, possibilita uma reprogramação, um novo porvir. Esse dilema também é o impasse entre a liberdade e a obediência. Vejo que é possível, com muito trabalho, identificar desejos e medos. Mas, ainda assim, é custoso seguir o impulso interno. Isso afetaria nossa autoestima, nossos relacionamentos, nosso círculo afetivo, e nem sempre estamos dispostos a experimentar essa mudança de acordos, de vínculos.

Percebo a relação direta entre essa questão da liberdade e da obediência e a organização corporal. Passei muitos anos lidando com minha escoliose. Tenho um desvio na coluna, meu ombro esquerdo é mais baixo e meu ilíaco direito tende a subir. Trata-se de uma escoliose "clássica", das mais conhecidas pelos ortopedistas. Sempre ouvi explicações objetivas sobre a estrutura da coluna e seus desvios.

Nesse longo caminho de reestruturação corporal, fui me perguntando: o que teria causado essa distorção? O que poderia me curar? A que eu me curvava? Por que de tempos em tempos perdia esse espaço? A quem eu obedecia?

A partir de leituras sobre psicossomática, associei minha escoliose a fatores emocionais relacionados à desvalorização. Na minha percepção, a área entre escápulas está ligada às nossas emoções mais íntimas, sendo afetada por decepções ou pela sensação de afastamento e abandono.

Eu sentia a ligação entre a emoção e a estrutura óssea. Foi a terapia junguiana que me ajudou a entender o que afetava meu corpo. A teoria de Jung traz a necessidade do ser humano de se reconectar com a própria natureza, de se reencontrar com a originalidade de seu ser. Essa abordagem conversava com as abordagens corporais que eu vinha investigando.

Jung trabalha no sentido de equilibrar a natureza individual e a natureza coletiva. Esse parece ser o desafio em cada relação e afeta diretamente a maneira como cada um de nós se coloca perante o seu grupo de pessoas ou a sociedade como um todo. Esse equilíbrio afeta também a sensação de pertencimento, de fazer parte de uma comunidade. E, para pertencer, normalmente passamos por um processo de domesticação que nos molda e desconsidera a nossa natureza animal e sedenta de liberdade.

Quando falo em liberdade e obediência, me refiro a essa dificuldade que vejo nos corpos, essa angústia de tentar frear impulsos para, supostamente, conseguir uma melhor adequação ou convivência com o outro.

No campo da expressão corporal e no fazer artístico, noto que há pessoas que conseguem equilibrar melhor seus impulsos intuitivos e instintivos e exercem sua liberdade de se colocar de maneira particular e individualizada. Há, no entanto, outro tipo de pessoa, mais obediente – e, por vezes, servil –, que age a fim de a suprimir o que sente e tenta cumprir o que entende que lhe foi imposto.

Eu sou dessas pessoas obedientes, que reverenciam o outro antes de escutar a si mesmas. Daí meu interesse nesse trabalho intenso de escuta e reconhecimento por meio do corpo, que me deu notícias de mim mesma, me trouxe informações preciosas que eu desconhecia. Daí também meu interesse pelas imagens dos meus sonhos, que também compõem este livro. Como diria Jung, olhar para os sonhos "é uma tentativa de trazer nossa mente original de volta à consciência".

Vejo processos distintos em meus alunos e alunas de expressão corporal, e noto que a maioria passa por um processo intenso para libertar a si mesmo de regras impostas por algo ou alguém que nem sequer sabem identificar.

Os depoimentos desses alunos (que incluo neste livro) relatam processos libertadores e encorajadores. Estes, muito antes de serem processos de criação, exploração de vocabulários de movimentação ou composição coreográfica, são processos que levam o indivíduo a ser inteiro – e esse é um bom início. Saber de si e de suas amarras, deixar transbordar e, então, permitir que o outro veja. Só depois dessas etapas de reconhecimento é que me parece haver a necessidade de criar poeticamente e compartilhar criação.

PROCESSOS DE ELABORAÇÃO

É muito comum o artista do corpo se aproximar da psicologia, da filosofia e de outras áreas afins na busca de definir o que nós, da educação somática, que dançamos, chamamos de emoção ou psique. Para quem vive dentro das sensações, das percepções, a ideia de psicomotricidade é dada, é tão amalgamada que é impossível separar. Corpo é visceral, emocional e espiritual. As experiências que temos acontecem, simultaneamente, nesses eixos.

O pesquisador do corpo tem a percepção ampliada e os sentidos mais vivos e disponíveis. É como se quem experimenta o corpo tivesse estado mais intensamente em experiência. E deparamos com a grande diferença entre experiência e informação. Nem todas as experiências viram inscrições. Inscrições físicas, perceptivas, conscientes. Chamo de inscrição algo que é também corpo. Essas inscrições fazem um cruzamento entre o que é sentido, o que foi sentido e o que será sentido. E combinam sensação física com sensação emocional, com memória, com expectativa, com projeção, com imaginação.

Então, eu sinto que esse é o corpo, que é sensorial e perceptivo. E emoção e pisque vão, nesse sentido, sendo definidas por essa coleção de sensações que a gente vai inscrevendo. E inscrever é diferente de sobrepor, é diferente de armazenar. São experiências que se inscrevem no corpo de forma consciente e inconsciente e ampliam a percepção de si e do mundo ao redor. É alguma coisa que vira pele, que é função, que vira movimento e motivação. Pele como essa área de fronteira entre o que está dentro e o que está fora. Algo que já não é outra coisa senão o próprio corpo.

É comum alguém da área somática ouvir, exatamente dos psicólogos ou de pessoas que trabalham com medicina alternativa, como homeopatas e acupunturistas, a seguinte frase: "Você se deixa afetar demais". Sim, óbvio, todo o trabalho é construir um corpo aberto para ser afetado. Ou seja, deixar-se afetar demais significa que fizemos bem o trabalho que nos foi proposto. Noto que isso torna a pessoa porosa e permeável, muito diferente de alguém que não entrou em contato com esse trabalho de reconhecimento de si e, por isso, é menos disponível, ou menos acessível.

A comunicação é diferente. Me refiro ao que você escuta de si mesmo. O que, para uma pessoa com consciência, que se escava o tempo todo, está à flor da pele, para outra é algo que não se sabe, que está escondido. O que para um está aflorado, incomoda o tempo todo, está ali presente, o outro nem consegue perceber que existe.

A dor é assim. Se por um lado quem trabalha com o corpo, com a dança, tem muito mais resistência à dor porque está acostumado com ela, por outro lado, qualquer dor aparece como um alerta, algo que exige que a pessoa pare tudo e vá olhar para isso, vá cuidar. Então os machucados, para nós, são grandes professores, grandes possibilidades de transformação, desde que tenhamos essa compreensão de que um machucado é consequência de algo vivido por muitos anos. A maior parte das nossas dores ou doenças é crônica ou cronificada, porque nós não conseguimos interromper um ciclo, um modo de ser.

Sou massagista há muitos anos, e inúmeras vezes presenciei pacientes relatando uma dor: "Hoje está doendo meu ombro", por exemplo. Como se fosse uma novidade. Mas eles não se davam conta de que a mesma dor estava lá havia anos. Aquela dor era uma reincidência, era uma dor muito conhecida para mim, que tocava aquele corpo, mas não era colocada como reincidência. Era colocada como uma nova dor. Ou seja, a pessoa não percebe a própria dor. Ela não nota que a dor volta de tempos em tempos. Portanto, também não relaciona a dor a um hábito postural, a uma situação emocional ou, ainda, a um embate com a vida.

Muito trabalho tem de ser feito para uma pessoa se olhar e entender minimamente como é, ou está, no mundo. Só depois de aceitar isso ela pode entrar em processo de cura. Quando alguém me "dava" a sua dor e ficava supostamente bem, a dor voltava intensificada. Só quando a pessoa se coloca em processo intenso de escuta de si, revendo sua história, entrando em contato diário com suas sensações viscerais, emocionais, espirituais é que ela tem possibilidade real de se curar.

A cura não é um milagre nem dura eternamente. A cura é exatamente a nossa capacidade de lidar com nossos hábitos, com nossos padrões, muitas vezes rígidos demais. É a nossa capacidade de transformação que está em jogo.

NOTÍCIAS DE SI

A expressão corporal é, em si, um exercício de alteridade. É no encontro entre corpos, na relação entre eles que a expressão acontece. Ao querer falar com o outro, acolher o outro, deparar com o outro, se opor ao outro é que você se revela.

Na fricção entre corpos, vamos compreendendo quem somos. Essa é uma trama muito complexa, porque é cheia de fios, vindos de lugares diversos. Somos esse atravessamento constante e nos identificamos sempre muito amalgamados uns com os outros.

Eu tenho usado e pensado sobre o termo "notícias de si mesmo". Vamos, ao longo da vida, colhendo notícias de nós mesmos. Isso se dá nas relações com as pessoas. O que muitas vezes acontece é que temos notícias de nós antes mesmo de existirmos. Quando você vem ao mundo, normalmente já tem um nome, um quarto, uma certa semelhança ou diferença em relação a alguém que te caracteriza. E, nesse processo de identificação, fica confuso distinguir o que somos das projeções e expectativas colocadas sobre nós.

Tenho trabalhado com jovens, o que me motiva a pensar sobre os momentos de transição, quando a pessoa sai de uma fase da vida em que as notícias de si vêm da família de origem e passa a construir novos vínculos, um novo centro, um novo círculo de amizades e parcerias, de trabalho e familiar, em que as notícias de si vêm de outros lugares.

É muito comum que essas notícias sejam divergentes, o que nos mostra que estamos sempre em plena transformação. Essa pessoa está escolhendo com base em parâmetros anteriores e migrando para novos paradigmas. Quando consciente, está se movendo em direção aos próprios desejos. Quando não, está abandonada de si mesma.

Sonho 5

Eu chegava em uma pousada numa ilha. Uma casa pequena, com poucos quartos. Um lugar simples com natureza exuberante. Recebemos, eu e mais duas pessoas que estavam comigo, a senha do quarto. Um número grande. O mesmo para nós três.

Mas os caminhos para chegar ao quarto eram diferentes, e logo nos separamos.

Daí percebi que o caminho era uma projeção da minha mente.

Sabia, sem saber, que meus medos seriam colocados ali, como obstáculos.

Primeiro veio um cachorro feroz, babando entre os dentes. Desviei.

Então, cheguei em um lago lindo, de águas claras. Quando me aproximei, esse lago criou ondas. Ondas altíssimas. E essas ondas vinham com meu rosto estampado... minha face aparecia e estourava em espuma...

Até que alguém me disse: "Se você não controlar sua mente, não vai chegar em casa".

Comecei a respirar a custo. Fui repentinamente algemada. Mãos cruzadas atrás. Imóvel.

Não é controlar. É lidar. Elaborar de outra forma. Trabalhar conscientemente com o medo. Projetar um caminho tranquilo a seguir...

Pensei. E acordei.

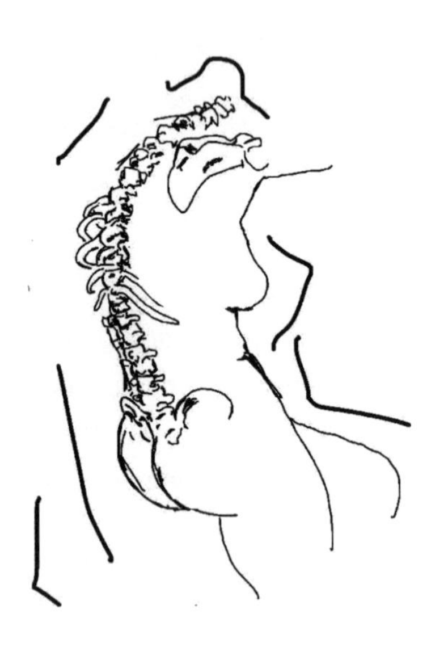

8
Transbordamento

Onde é a margem?
O que é preciso para transbordar?
Todo mundo é capaz?
Quem se aceita transborda?
Quando transbordar espalha?
Transbordamento é abundância?
É líquido? Material ou imaterial?
Tem volta? É bom? Dói?
Transbordar arrasta o que consigo?
Transbordar para quê? Para quem?

A expressão não surge desacompanhada de significados subjetivos. Nossas ações pretendem colocar pensamentos para o outro. Mas só quando agimos entendemos a nós mesmos. A ação é uma maneira de conhecer-se, revelar-se para si próprio.

Se o ato expressivo é colocar pensamentos em gestos ou palavras, fazer uma revelação, uma declaração, uma manifestação, então deixar sair é condição primordial para a expressão.

O verbo transbordar tomou força em minha pesquisa do corpo. Transbordar é deixar sair, derramar. É também ter em excesso, estar repleto. Ou ainda estar possuído de um sentimento. Transbordar é o oposto de escassear, carecer, faltar, falecer.

O trabalho profundo de consciência corporal é o que permite que o indivíduo se perceba, se sinta, se reconheça. Nesse processo, o trânsito interno e externo é identificável, e a pessoa consegue saber o que se passa pelo corpo e como este se altera no contato com outros corpos ou com o espaço externo.

A borda fica mais evidente. A aceitação de si é o primeiro passo para a construção de uma identidade própria. Obviamente, isso é apenas o início para o trabalho expressivo. É preciso escutar, investigar, investir para descobrir o próprio desejo — que é, também, o que leva ao desejo de manifestar-se.

Todo mundo é potencialmente capaz, mas há corpos mais bem organizados e com facilidade de comunicação, e outros que precisam de um trabalho de resgate, acolhimento e reorganização para sentir a si mesmos novamente e, com isso, se sentir "cheios de si".

Transbordar arrasta consigo nossas experiências vividas, nossa história. Transbordar pode ser bom e pode ser doído. O processo é longo e requer maturidade para que se escolha o material a ser expresso, o momento, o modo. Para que não se esvaia, não se perca, não deixe a pessoa sem centro por se colocar no mundo.

Se penso na expressão corporal do artista da cena, esse processo de autoconhecimento e permissão íntima é ainda mais vital. Expressar algo desconhecido ou não aceito pode ser bastante violento. O corpo não gosta de violência. Precisa de acolhimento para se abrir.

Retomo a ideia inicial, descrita no começo deste livro, e reafirmo que o ninho, a origem de cada uma e cada um de nós precisa ser resgatada. Pela primeira língua, a língua materna, e através do reconhecimento da história vivida é que a pessoa consegue encontrar gestos-palavras para falar de seus sentimentos.

Quando falamos de corpo, falamos da nossa casa. A primeira casa e a morada que acolherá toda a nossa trajetória de vida. E creio que é nesse lugar que iremos nos encontrar e reafirmar o que somos. Isso precisa ser feito de tempos em tempos, uma espécie de atualização contínua de nós mesmos.

Nas aulas, costumo dizer: "A gente tem medo do que a gente pode". Me refiro ao fato de que nossa potência e força nos amedrontam. E aqui faço um convite à reflexão profunda. Acredito que é possível vir a saber o que realmente desejamos, queremos. O trabalho no corpo é uma forma potente de enfrentar isso e identificar desejos. E é absolutamente transformadora.

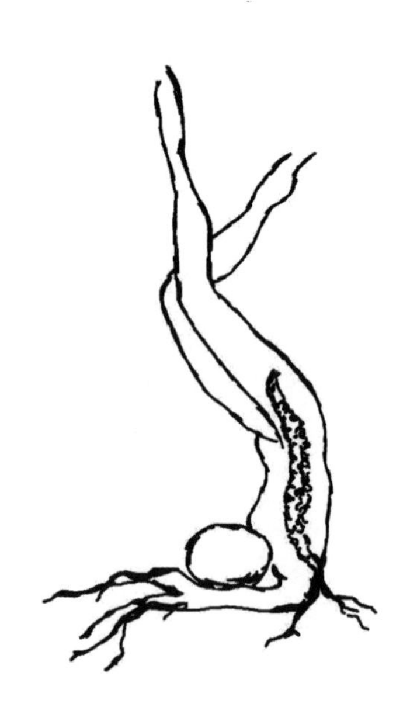

Sonho 6

A Macê, que fez os desenhos deste livro, entrava na minha casa para me mostrar um desenho novo.
Era um papel em rolo grande.
Ao desenrolar, vi que era uma coluna, com detalhes de ossos e espaços intervertebrais. Ao desenrolar, o desenho começou a sair do papel.
Da bacia desenhada saíam raízes de árvores.
E já não estávamos mais em casa, e sim num lugar aberto e de terra a perder de vista.

De repente, a Macê também já não estava mais.

As raízes não pararam de crescer e penetrar no chão arenoso.
Então, eu estava longelonge, observando.
Era uma coluna colorida com raízes imensas e largas.
Brotavam pequenas flores, parecidas com as flores de deserto...

9
Cartas-depoimento

Estas cartas-depoimento foram escritas por estudantes do Célia Helena como registro de processos vividos em minhas aulas. Foram redigidas em momentos diferentes do trabalho desenvolvido entre 2004 e 2019.

Os relatos têm um conteúdo íntimo e pessoal. São cartas que expressam, por palavras e poesia, as transformações do corpo e das maneiras de enfrentar a vida.

É muito emocionante descobrir o próprio corpo e se apoderar da própria história. Cada corpo recebe essa notícia em tempo e profundidade distintos.

Vejo que o primeiro relato tem uma característica muito emotiva, mas se transforma e amadurece. Em um segundo momento do trabalho, vejo a construção de símbolos e metáforas únicas e particulares, que se transformam em criação artística potente e autoral.

O corpo informado de si e que se reconhece procura esse mesmo impulso interno e se permite, se expõe e oferece ao outro essa manifestação, esse transbordamento. Esse processo, quando vai para a cena, carrega a originalidade e a verdade de cada artista criador.

"Quanto maior meu espaço interno, maior meu espaço externo." Começo assim falando sobre esse trabalho que me transborda e transforma até hoje.

Sempre busquei na dança um lugar que fosse para além das questões virtuosas e padronizadas, que são tão vistas no meio das escolas/academias de dança, e o trabalho de Béziers que Marina me trouxe abriu infinitas formas de adentrar minha "casa", meu corpo. E a partir dessa descoberta me coube mais acolhimento para minha dança e a dança do outro.

As possibilidades geradas me trouxeram mais humanização para um lugar pouco acessado, visitado e revisitado. Por isso essa frase é tão importante para mim. Lembro de ouvi-la em minha primeira aula com a Marina, e ela reverbera até hoje em minhas pesquisas, minhas aulas e minha dança. Esse conhecimento e estudo me trouxeram para um lugar de consciência corporal extremamente importante; um lugar de potência e de presença.

Com uma condução sensível, ela nos direciona a um lugar de escuta muito sutil que escorre para todas as camadas do corpo e da vida. Uma inteireza que me comove.

Se entendo meu corpo, se aumento minhas percepções e conhecimentos sobre ele, me expando e sou inteira. Minha dança sem sombra de dúvidas é outra hoje. Consigo lembrar desde o primeiro dia em que ouvi ela falando sobre a reestruturação corporal, e a cada encontro aquilo me atravessava cada vez mais. Minha vida mudou totalmente, minhas percepções de presença cênica, então... Nossa! Quanto mais eu aprendia e me reconhecia, mais fazia sentido todo caminho. E como foi e é importante!

Então, inspiro profundamente, sinto todos os meus espaços internos, me expando e entendo a importância de olhar para dentro para então olhar para fora. Sou imensamente feliz por esse encontro dançante.

Michelly Juste

Meu corpo grita.
Meu corpo não estica.
Meu corpo pinta.
Meu corpo não respinga.

Meu corpo sobe.
Meu corpo não se envolve.
Meu corpo gira.
Meu corpo não se liga.

Meu corpo treme.
Meu corpo não teme.
Meu corpo geme.
Meu corpo não escuta.
Escuto, gemo, temo, tremo, me ligo, giro,
Me envolvo, subo, respingo, pinto, estico, grito!
Meu corpo descobriu ser o que é.
Aceitar ser como foi,
Escolher ser como seria,
Abraçar o que foi,
E lhe restou ser o que podia.

Meu corpo fala e eu escuto,
Vive e eu afirmo,
Sente e eu cuido,
Aproxima e eu afasto.

Maldita mente articuladora.
Castradora,

Organizadora,
Destruidora,
Que o silêncio da respiração te destrua!
Neutraliza esse pensar e sente!
Sente, escuta. Sente!

Meu corpo transborda o erro,
Confirma o risco
e tem, na certeza da falha,
A dúvida do belo!

Fause Haten

Construção de um corpo azul dentro de um branco

Alinhei o corpo e logo alinhei os sonhos
Tracei uma meta e fui, insisti
Danço a dança dos sonhos, e lá fora chove
E aqui dentro pulsa
Aqui dentro se renova
Aqui dentro se transforma

Alinhei-me
Olhei para o horizonte
E decidi não tocar em nada
E decidi apenas dançar e guardar no corpo a memória
Decidi ser a pedra que afunda no mar
Ou o vento que levanta a folha
Mas decidi - corpo é decisão
Eu decido ser, decido afundar, decido navegar.

Agora que o corpo se mistura à areia e ao sol
Agora que meu corpo está em processo de ser meu corpo
Agora que decido que o horizonte sou eu,
A chuva sou eu, a pedra sou eu, a areia sou eu
Arranco a pele
Faço um voo em direção ao mar
E não sei se afundo ou se boio
Não se faz necessário saber
Se faz necessário ser

Caio Martins

Respeito. Respeito pelo corpo, respeito pela mente e respeito pelo outro. Empatia, generosidade e carinho. E nada meloso. Tudo concreto e sincero. Basta um olhar, um pequeno gesto para acolher um corpo e tudo aquilo que ele carrega.

Abrir espaço dentro de mim foi vital. O entendimento de que para uma ação física ocorrer de forma fluida deve-se alocar espaço para que ela aconteça. A respiração acompanha a cada momento. É ela a maior assistente do corpo; é ela que relaxa, estende e dá força. A abertura de espaço não acontece apenas entre órgãos, ossos e músculos. É importante dilatar o olhar, a respiração, e abrir espaço para o estado mental de presença.

O psicológico casado com o físico. Uma ação mental leva a uma ação física e, em contrapartida, essa ação física causa uma reação psicológica. Esse ciclo fica mais pulsante quando se tem o estímulo de outro corpo com o seu. Aliás, o acontecimento cênico é muito mais vivo quando vários corpos se envolvem. Essas relações criam imagens, que afetam não só quem faz, mas também quem vê. O significado está ali, no fluxo e na simples beleza de corpos interagindo no espaço.

É bom ressaltar que nem o corpo, nem a mente são ferramentas, e não devem ser tratados separadamente. Se as emoções, a personalidade e os pensamentos conduzem e comandam ações físicas, devemos chegar à conclusão de que o corpo é uma soma concreta de tudo que ele contém. Sendo assim, nele tudo existe. Criamos a partir dessa enciclopédia, e, com as experimentações e reflexões, tomamos a liberdade de adicionar parágrafos e páginas ao nosso repertório.

Entender a sua soma é entender como ela complementa a soma de outros. Assim se constrói um coletivo. E se trata mesmo de uma construção. Construção do respeito, da generosidade do olhar e do cuidado. O espaço que esse coletivo ocupa e as ações que ele desenvolve devem estar protegidos e despidos de julgamento, devem ser seguros. Assim o fluxo da pesquisa e da experimentação fica liberado, permitindo elevar não só a potência do trabalho, como o prazer de fazê-lo.

Concluo que a soma não é apenas interna, mas externa também. Para os outros. E os mesmos valores que se aplicam a você devem ser aplicados ao corpo do outro. A conexão psicológica e física, os estímulos e acontecimentos em grupo vão muito além do espaço e do fazer cênico. São ensinamentos que podem ser levados para a vida.

Pedro Scalice

Nunca senti tanto prazer, tanto estímulo, tanto tesão na pesquisa como senti aqui.

O trabalho começa a tomar forma, a pesquisa aparece. Hoje consegui arriscar mais, tanto na velocidade quanto nos movimentos. Meu corpo me pedia agilidade, torções, subidas e descidas. Foi gostoso trabalhar assim, experimentar essa aceleração.

O corpo é um laboratório ambulante - abrir o corpo sensível 24 horas, escutar o corpo, a coluna.

Estado de reconhecimento interno, um corpo existencial e integrado - físico e psique, corpo sensível. Substituir a organização espaçotemporal pela percepção psicomotora - percepção de si gera organização espaçotemporal: tudo se organiza.

Se conhecer e entender as vias de acesso interno para transbordar sua poética.

O individual existe. Colocá-lo em nome do coletivo.

Para isso tenho que me reconhecer, me conectar com a minha coluna: "o euzinho vira euzão"...

O ponto vira trajetória....

O artista é um instaurador de experiência alheia.

Naíra Gascon

10
Aplicação do trabalho com crianças

Paralelamente ao trabalho com o artista da cena, trabalhei todos esses anos com crianças. Também baseada na coordenação motora de Piret e Béziers, utilizo procedimentos parecidos, as mesmas vias de acesso, com diferentes estratégias pedagógicas, a depender da faixa etária.

Noto que, ao propor essas investigações de movimento, a resposta das crianças é mais espontânea. Especialmente a criança pequena me responde, já em movimento, de forma integrada. Junto com a resposta motora e a criação de novos vocabulários de movimentação, elas me trazem imagens, histórias, poemas, desenhos e sonhos. A imaginação está solta e mais livre, e tudo que experimentam no corpo gera pensamentos, ideias, elaborações e criações híbridas, que mesclam palavra, som e movimento.

Por isso, seguir com as crianças tem sido minha maior inspiração. O trabalho com elas reafirma a origem do movimento e da construção simbólica e me permite trabalhar com adultos de outra maneira, com mais frescor, verdade e sensibilidade. Considero essencial manter esse contato com a criança em formação e seu olhar de encantamento com o mundo.

É importante relembrarmos que a base do jogo teatral é a brincadeira, o jogo infantil e a capacidade que a criança tem de se envolver completamente, sem medo nem pudor, de corpo inteiro e em movimento sempre. Quando uma criança conta uma história, um acontecimento, ela fala por gestos e palavras, em uma verdadeira dança.

Relato uma dessas experiências em sala de aula da Escola Alecrim[16], com crianças de 2° e 3° anos, com 7 e 8 anos de idade. Esse relato nos ajudará a compreender essa espontaneidade e o prazer na descoberta do corpo que as leva a elaborações muito profundas sobre si e suas relações.

"O PÉ TEM A CARA DO DONO..."

Esqueleto

Coloquei dois ilíacos no centro da sala de aula. Assim, sem dar muita explicação. Tinha, nesse dia, doze alunos de 7 anos de idade. Entraram animados e logo ouvi o primeiro dizer: "Marina, porque você trouxe dois chifres de veado?" Não tive tempo de dar a resposta quando o segundo interferiu: "Não. São ossos de gente". Então, um terceiro concluiu: "São os ossos da cabeça!" E, colocando as mãos no vão vazado do osso, porque é também com as mãos que a criança vê, ele mostrou: "Olha aqui os olhos". Alguém, não muito convencido do tamanho desproporcional daqueles "olhos", achou a solução: "São ossos de um adulto!" Os que ainda não estavam envolvidos na conversa se envolveram na hora. A discussão passou a ser como aquele osso tão grande podia ficar equilibrado em cima do pescoço de alguém e por que os olhos, que eram tão pequenos, ficavam em um buraco tão enorme.

Começamos a aula. Havia ali um dado concreto, uma boa dose de imaginação e um grande problema a ser resolvido. Esse é sempre um bom início. Comecei contando que aqueles ossos eram de resina e que os nossos eram mais porosos e macios. Disse que os ossos crescem conforme crescemos. Mas que a cabeça não seria nunca daquele tamanho. Espontaneamente, a criança experimenta. Eles, então, colocavam os ilíacos na cabeça para comparar formato, medidas e função. Primeiro um só. Depois os dois. De um lado. E de ponta-cabeça. E apesar de nada encaixar exatamente, eles se divertiam com isso. Os corpos já estavam em movimento quando pedi que experimentassem uma gangorra: cabeça *versus* bacia. Disse que as duas esferas se equilibram. As cabeças iam com mais facilidade para frente, e as bacias não ancoravam a volta. Então, pedi que se sentassem sobre as mãos. Disse que a parte baixa da bacia eram os ísquios e, se os apoiassem, teríamos um contrapeso melhor para o grande peso da cabeça. Passamos, assim, meia hora ou mais brincando de gangorra. Pedi em seguida que identificassem as bordas dos ilíacos com as mãos. Disse que as cristas ilíacas faziam parte da mesma peça óssea onde estavam os ísquios. Alguém resgatou os ossos que estavam esquecidos no chão. Outro observou e tentou colocar perto da bacia. O terceiro perguntou onde ficava o pipi. A conversa se desenvolveu até que a pergunta veio: "Onde ficam os ísquios aqui no esqueleto?" Mostrei. Definitivamente, aqueles ossos eram ilíacos. Dançamos juntos.

Na aula seguinte, trouxe bacias com água. Disse que, no corpo, a bacia acolhe os órgãos e há muita água ali. Ouvi um pequeno som de boca: claclaclaclacla. "Assim?", a criança que sinalizava perguntou. Acolhi a ideia e pedi que todos experimentassem sentir a água da bacia fazendo um som com a boca. Fecharam os olhos. Fechar os olhos é uma maneira que a criança tem de olhar por dentro. Pedi para escolherem uma palavra que viesse à cabeça para falar em voz alta: mar, cachoeira, azul, céu, quentinho! Os chifres de veado, que já tinham sido cabeça, viraram bacia e agora eram o mar.

As aulas seguintes foram dedicadas a explorar a movimentação da bacia. Trabalhamos em duplas. Um manipulava a bacia concreta com água e o outro tentava entender o movimento dentro do corpo. Depois invertemos. A água da bacia derramava e, de tempos em tempos, a aula precisava ser interrompida para secarmos o chão. Alguém reivindicou: "Não é justo, no corpo a água não cai e essa água está atrapalhando a gente". Achei pertinente. Nas aulas seguintes, troquei a água por uma pequena lanterna fixada na bacia. A luz dava maior mobilidade. Logo tínhamos cambalhotas, estrelas, rolamentos, piruetas.

Meses depois, sugeri que trabalhássemos sem a bacia objeto. Apoiados nas experiências vividas e na percepção presente, criamos juntos movimentos gerados pela bacia, preenchidos de água, em equilíbrio com a cabeça, organizados em enrolamento e extensão de coluna.

Inscrições

Estava tudo inscrito ali.

Inscrição corporal, que se refere ao que está dentro, guardado, como registrado internamente. São caminhos de movimentos que foram construídos pela trajetória de cada criança, que ficaram na memória corporal pelo uso do corpo e pela troca com outros corpos.

Bacias voadoras precisavam de bons pés de apoio.

Decidimos, então, estudar os pés. Levei papéis e lápis para a sala e fiz o contorno do pezinho de cada um deles. Naquela semana, trabalhei com 35 crianças ao todo; no final da tarefa, tínhamos setenta pés em papel.

Pedi que eles desenhassem, dentro do contorno dos pés, os caminhos por onde andaram até seus 7, 8 anos. Os muitos chãos, muitos passeios, muitos colos acolhedores e tantos desafios de andar com os próprios pés apareciam ali.

O universo experimentado era tão potente que chamei de pé poético. Recebi pés estrelados, com areia e conchas, com folhas e flores, com gotas de água e fogo, pés coloridos e de uma cor só.

Na semana seguinte, propus que a pesquisa fosse sobre os ossos dos pés. Tocamos o próprio pé e tocamos o pé do outro. O segundo pé em papel ganhou ossos sentidos por eles a partir do toque.

Na terceira semana, eu trouxe novamente o esqueleto. Quanta surpresa. Não eram três ossos, nem sete. Eram muitos. Dedos divididos em três partes, ossos no peito do pé e um grande calcanhar. Contei que no pé havia muito movimento. Imediatamente saíram experimentando novos passos de pés poéticos cheinhos de ossos e articulações.

Com os setenta contornos de pés, fizemos uma trilha, um caminho longo, quase um labirinto. A ideia era que, ao fazer esse percurso, construíssemos uma dança, ou um caminho "dançando o pé do outro".

A primeira criança entrou e me disse: "O meu pé é menor do que esse! Eu também não sei andar assim com o pé meio aberto para fora. Olha, meus pés andam juntinhos". Iniciamos uma boa conversa sobre as diferenças do corpo. Eu disse que a história vivida por cada um determinava a forma do corpo e a maneira como cada um organiza o gesto e o movimento. Voltamos aos pés poéticos. Vimos juntos que também os símbolos colocados ali eram particulares e subjetivos. Alguém falou: "O pé poético tem a cara do dono do pé". O pé ter a cara. Passei muito tempo comovida com isso.

Brincamos com a possibilidade de nos identificarmos pelos nossos pés e assim, quem sabe, um dia, substituirmos as fotos 3x4 do nosso rosto por fotos de nossos pés como documento de identificação. Poderíamos nos reconhecer pelas fotos dos pés?

O trabalho com crianças segue nessa avalanche de ideias encadeadas por um pensamento integrado, no qual motricidade e psiquismo andam juntos, são inseparáveis.

O processo pode parecer caótico, mas não é. Ele segue outras lógicas e abarca todos os sentidos ao mesmo tempo. É um processo que se dá na experiência do movimento, em que corpo é pensamento e pensamento é corpo.

É interessante notar que a ordem eleita para a pesquisa nem sempre parece, para o facilitador do processo — no caso, o professor —, melhor ou mais lógica. Mas é essencial que sejamos guiados pelo caminho que surge, e não pelo concebido por nós anteriormente.

Ali, nesse percurso, os pés pediram mãos. A bacia pediu coluna e cabeça. As mãos pediram escápulas e costelas. E cada processo sugere um novo percurso que, ao final, nos prova que a unidade leva ao todo. A cada novo ano, e já são vinte anos trabalhando com crianças, novos caminhos aparecem e, com eles, novas descobertas, outras relações, poéticas diferentes.

Depois de um ou dois anos, com aulas uma vez por semana, crianças de 7, 8 anos de idade já conhecem bem a estrutura do corpo, o sistema ósseo, muscular, articular. Já entendem seu funcionamento e a relação entre as partes. É possível entrar em camadas mais submersas e tornar perceptíveis os movimentos mais internos do corpo.

Nessa segunda etapa da pesquisa, os fundamentos da coordenação motora de Piret e Béziers me ajudam muito. Com esse trabalho psicomotor, é possível propor à criança uma organização corporal que amplia sua consciência e permite que ela se reconheça, reequilibre e harmonize seu corpo. Organizada, a criança ganha fluência no movimento, sente mais prazer na experiência e potencializa sua expressividade.

É possível trabalhar, com crianças bem pequenas, estruturas complexas e mais desconhecidas. A percepção delas é muito aguçada, e logo conseguem sentir, identificar e utilizar o corpo.

Gosto, por exemplo, de iniciar as aulas pela ativação do períneo. Elas já sabem localizar os ísquios e é possível relacionar o assoalho pélvico com o céu da boca. Sentem com nitidez o impulso interno que isso gera e o apoio que oferece para se alcançar a estabilidade.

Tenho relatos muito profundos, como quando um pequeno, que não tinha completado 8 anos ainda, e saltava com muita facilidade, caiu de mau jeito no chão e logo me disse: "Me esqueci de acionar meu períneo". Ou quando uma menina de 8 anos achou um equilíbrio surpreendente fazendo uma garça de um pé só. Ela simplesmente estava tão organizada que ficou ali, com calma, com a música. Depois me disse: "Eu esperei a vida inteira para fazer isso!" Essa vida inteira, de oito anos, que parece um início de vida para nós, era, sem dúvida, uma trajetória sólida que permitia a essa menina uma vivência integrada, ao se valer de conhecimentos múltiplos que a apoiaram naquele instante. Ela sabia, sentia, experimentava, percebia, recebia, estava presente e inteira ali.

As aulas de expressão corporal para crianças vão construindo esse esqueleto vivo e vivenciado. O trabalho sempre parte do esqueleto, de mostrar os ossos, de tocar, de perceber, de pesquisar em livros de anatomia, de ver outros corpos se movendo e, sobretudo, de sentir.

A exploração se dá a partir das hipóteses das crianças, suas curiosidades e seu potencial criativo. Assim como o trabalho com a bacia, ou com os pés, qualquer outra parte do corpo pode ser explorada. É importante lembrar que a unidade sempre remete ao movimento global; a exploração em uma só parte seria impossível.

Creio que o caminho mais interessante é tentar escutar as primeiras impressões das crianças e, aos poucos, direcioná-las para a concretude da forma e do funcionamento do corpo. Chamo de impressões a maneira como cada uma delas se percebe e relaciona o conhecimento sugerido com o conhecimento do próprio corpo.

Cada indivíduo carrega sua história e, nessa trajetória, estão inscritas sensações, percepções, emoções. As estruturas a ser investigadas são as mesmas para todos os corpos; no entanto, a maneira como cada um chegará a conhecer, identificar e validar o próprio corpo é única.

Isso significa que os processos acontecem em tempos distintos e de maneiras diferentes. Também é muito diferente a necessidade que cada um tem de se expressar, de se comunicar com o outro. Alguns precisam explorar internamente, sentir de olhos fechados, guardar as sensações. Outros precisam transformar a investigação em dança e sentem vontade de apresentar e receber retorno de quem os vê.

PSICOMOTRICIDADE: O MESMO CORPO, CADA UM DO SEU JEITO

Em grupos de estudos da coordenação motora de M.M. Béziers, sempre deparei com a seguinte colocação: "O ser humano nasce organizado e vai se desorganizando ao longo da vida".

De fato, a criança pequena está mais integrada e vai perdendo integração. Vejo que nos menores a exploração dos movimentos e a escolha dos gestos vêm sempre acompanhadas de símbolos e significados. A criança se permite, com mais facilidade, vivenciar e imaginar.

> Faz parte do repertório da criança mover-se sem intenção definida, brincar com o próprio corpo. Nesse sentido, o movimento caminha da mesma forma que a imaginação livre: um movimento puxa o outro, assim como uma imagem leva a outra. Um salto vira um giro, que vira uma corrida, que retorna ao salto. Há uma experimentação de ritmos, uma dança em que a "coreografia" parece brotar espontaneamente. (Trindade, 2016, p. 96)

Conforme crescem, deparam com facilidades e dificuldades em relação ao corpo. Ficam mais críticas e inibidas em relação a si e aos outros. Dão mais ênfase às elaborações mentais e menos importância às experiências vividas.

Nas aulas de expressão corporal, tendem a perder um pouco o prazer do movimento, na mesma medida em que veem a atividade como uma aula de dança tradicional, apenas uma repetição enfadonha de uma sequência de movimentos.

O grande desafio é preservar a integração. Um trabalho psicomotor de investigação de movimento conserva a integração corpo-mente, provoca um processo de autoconhecimento e a busca de identidade própria.

É um espaço importante para eles, pois garante um meio de expressar e elaborar emoções.

> A abordagem do corpo da criança e do adolescente deve contemplar dois planos: o físico e o simbólico. Nessa perspectiva de integração, o corpo

> ganha dimensão para além de suas qualidades mecânicas. O sistema locomotor deixa de ser apenas a máquina do deslocamento e torna-se "corpo vivido" nos planos concreto e simbólico. (Trindade, 2016, p. 18)

É nesse sentido que acredito que esse trabalho seja essencial na formação da criança e do adolescente. É importante considerar que as emoções e os pensamentos geram e modificam nossos gestos e posturas. É exatamente por isso que o corpo tem tanta potência expressiva. Há crianças que desconhecem o próprio corpo e não conseguem usá-lo conforme desejam. Outras vivem fora do corpo: fazem uso das ideias, mas não estão em contato com a experimentação motora. O trabalho com a coordenação motora reconhece o percurso do movimento com consciência. Uma criança que preserva sua integração pode se apoiar em um campo de conhecimento muito mais amplo, que compreende o movimento como um todo organizado e integra psique e motricidade.

> Pensamos que essas crianças terão, bem cedo, a oportunidade de conhecer a riqueza da complexidade da organização psicomotora e saberão, desde o início, realizar um desenvolvimento harmonioso em todos os níveis: corporal, psíquico, de relação, afetivo. Porque, se o corpo humano é a sede do patrimônio da espécie, é preciso, antes de mais nada, que esse patrimônio seja preservado nos "filhotes do homem" que carregam a esperança de toda a humanidade. (Béziers, 1986, p. 10)

Entusiasmada, no final de uma aula com crianças de 8 anos, eu grito: "Que lindo esse nosso processo de criação!" Vi carinhas de interrogação. Parei e perguntei: "Vocês sabem o que é processo de criação?" A resposta, que é sempre exata e espontânea na criança pequena, foi: "Criação sabemos, processo não".

Processo não é identificável para quem está no momento presente. Claro. A criação sim, ela vai acontecendo e se tornando visível. Mas, para a criança, a criação é mutante. A criança está disponível para a novidade do mundo.

Comprovei essa minha impressão explorando um pouco mais a palavra criação em diversas turmas e em muitas práticas. A criação, para a criança, não é um resultado, mas o novo de cada dia.

Quando trabalho com adolescentes e adultos, meu maior esforço é, sem dúvida, tirar a primazia do resultado e propor formas para que eles vivam o processo. Isso não é tarefa fácil. As instituições de ensino, a sociedade e até mesmo a própria família exigem resultados cada vez mais rápidos e eficientes.

Na criança pequena, ainda vejo o processo mais experimentado, com a percepção mais presente. Isso significa que o tempo é dilatado, que cada detalhe é um acontecimento.

Costumo fazer exercícios de improvisação, que chamo, em referência às *jam sessions*, de *jamzinhas*. Depois dessas rodas de improvisação, as crianças fazem seus comentários. O que escuto é sempre referente à pequena mudança daquele dia e, quase sempre, ela se inicia na imaginação, invade o universo simbólico e vira movimento: "Você viu que coloquei mais uma pata no meu bicho?", "Hoje tentei usar as asas!", "Quando vi que eu ia cair, resolvi fazer mais giros", "Acho que meu corpo preferiu ir para o chão nessa hora, então eu fui".

A criação não é identificável com o que foi feito de novo, mas o que foi sentido de diferente em relação a outra experiência. Ela já está em processo. E isso é extremamente importante. A criação não está sendo validada como um novo produto concreto, mas como uma mutação de algo que vem vindo, vem sendo experimentado e vivido.

E essa outra experiência nem sempre é a vivida na aula de expressão corporal. Pode, inclusive, não ter relação direta com a aula. Sobretudo os menores me contam de movimentos experimentados no parque, na praça, em casa ou nas férias de anos atrás. E eles sabem me dizer, exatamente, quando foi que, por exemplo, "incluir uma pata no bicho" fez mais sentido do que do primeiro jeito.

Conforme crescem, a tendência é que as informações fiquem fragmentadas. O que se pensa, o que se sente, o que se percebe já não são uma unidade. O caminho de informações parece menos permitido. A tendência é tentar repetir o que já foi feito. O espaço para o novo é menor. As comparações com os outros também são mais frequentes e há uma necessidade de fazer igual, ou diferente, ou melhor. A escuta do corpo diminui e já não é possível identificar com tanta facilidade o impulso interno. Posso dizer que as crianças mantêm a força criativa, mas já estão menos disponíveis ao processo por estarem mais ansiosas pelos resultados.

É nesse sentido que o resgate psicomotor é um trabalho de preservação da espécie humana. Digo isso porque entendo que a humanidade está relacionada ao universo afetivo e íntimo, à capacidade de elaboração das próprias ideias, do pensamento abstrato, à possibilidade de compartilhamento, à necessidade de expressão, à criação de poéticas, às singularidades, à complexidade do consciente e do inconsciente.

Esse trânsito entre o que está dentro e o que está fora e a possibilidade expressiva, e também de reconhecimento e elaboração de subjetividades, devem ser não só preservados, como exercitados durante a vida.

Para um artista, o espaço da cena é o espaço que o recebe e o acolhe. Ir para a cena é uma consequência do fazer teatral, é um desembocar, um lugar para se lançar, um lugar de risco e de prazer.

Sempre questionei as apresentações de final de ano em escolas de dança e duvidei de mostras em escolas de ensino fundamental. Não via sentido em fazer ensaios repetitivos para as crianças apresentarem um espetáculo a seus familiares. Mas, embora eu não ache que a apresentação deva ser espetacular, não duvido que a criação deva ser compartilhada. A experiência criativa não pode ser feita para o outro sem antes afetar o sujeito criador de tal modo que comunicar passa a ser urgente. Mas ao ser afetado, mobilizado, o criador precisa se expor. É na relação com o outro que ele se vê. Ou, mais que isso, é para o outro que ele se revela.

A experiência tem me mostrado que, por essa abordagem somática, os processos de investigação de movimento feitos em sala de aula já são, em si, processos de criação de material cênico. A integração, foco do trabalho corporal, também pode ser vista na indissociação entre pesquisa de movimento e obra cênica.

Quando uma criança começa a pesquisar uma estrutura do corpo, ela escolhe, desenvolve, repete, modifica, atrás de uma partitura muito específica, que dê conta do que ela quer dizer. Ela constrói linguagem. Elabora e reelabora seus movimentos para se expressar com mais precisão, mais justeza em relação ao seu desejo. Se ela compartilha esse material com outro corpo, ambos estabelecem relações que modificam a pesquisa, sugerem novas ideias, trazem elementos compositivos que são necessários para o diálogo acontecer. Essa troca recoloca pensamentos em movimento.

Esse processo de criação é sempre o início de mil ideias dançadas. Surgem temas, músicas, imagens, roupas, adereços. A vontade de se expressar inteiramente é tão forte que não há limites. Os processos não terminam nunca e, ao contrário, pedem sempre mais e mais.

Nesse momento, considerando que a investigação em sala de aula já é criação cênica, tenho direcionado as crianças para o palco. O encantador espaço cênico, a magia do teatro, as luzes, o chão do palco, as coxias e o camarim tornam visíveis as pesquisas dos pequenos criadores.

Nessa longa jornada como arte-educadora, focada nas artes da cena, tento, então, escutar essa urgência de iluminar o material transbordado em sala de aula. Acho fundamental que a criança possa ter essa experiência preservando seu processo. Criar e colocar a criação na cena, ver sua produção valorizada, entender a imagem que gerou, ser observador de sua obra, ao mesmo tempo que se mantém em pesquisa.

Além disso, ir para o teatro também traz novo sentido para a aula. Os dois fazeres tornam-se cada vez mais amalgamados. Esse estado de cena invade a sala. Cada aula vira uma pequena apresentação, um momento importante de se colocar e partilhar. É o momento de ver e de ser visto.

Para mim, trata-se de um ritual. Uma cerimônia de valor simbólico e agregador. Para dar visibilidade ao mais interno, ao mais delicado, ao mais profundo. Para revelar devagar. Para viver dilatação e encontro. Para gerar sensação e sentido. Para a criança se sentir plena. Para brincar de ser artista. Para conversar sobre quem cria e quem recebe a criação. Para poder falar de arte.

Notas

1. A London Contemporary Dance School (LCDS), conhecida como The Place, é uma conceituada escola de formação em Dança Contemporânea em Londres (Inglaterra), com cursos de graduação, pós-graduação e mestrado, ligada à Universidade de Kent.
2. O Célia Helena Centro de Artes e Educação (Brasil) é uma escola de formação em Artes da Cena, fundada em 1977 pela atriz Célia Helena e, desde 1997, sob a direção artístico-pedagógica de Lígia Cortez. Oferece curso de teatro para crianças e adolescentes (Casa do Teatro), curso técnico profissionalizante (Teatro-escola Célia Helena — TECH), graduação (bacharelado e licenciatura), pós-graduação *lato sensu* e mestrado profissional em Artes da Cena (Escola Superior de Artes Célia Helena — ESCH).
3. Marcelle Lemos (Brasil) é bailarina certificada pela Royal Academy of Dance. É formada pelo Arts Umbrella e pelo Vancouver Community College. Em 2017, concluiu o curso técnico de teatro pelo Teatro-escola Célia Helena (TECH), onde atualmente cursa o bacharelado em Teatro da Escola Superior de Artes Célia Helena (ESCH).
4. Mateus Menoni (Brasil) é bailarino contemporâneo. Fez aulas de dança no Estúdio de Dança Beatriz de Almeida, em Campo Grande (MS). Em 2015, formou-se em Atuação pelo Teatro-escola Célia Helena (TECH). Participou do projeto Imersão, dirigido por Marina Caron.
5. Macê Stevaux (Brasil) é artista visual e atriz, formada em Atuação pela Escola Superior de Artes Célia Helena (ESCH) em 2018. Desenvolve trabalho autoral com inspiração no corpo humano. Fez os desenhos de *Corpo, transborda*.

6. O Estúdio Nova Dança (Brasil) é um estúdio de pesquisa em artes da cena fundado por renomados artistas do corpo, como Tica Lemos, Cristiane Paoli Quito e Lu Favoreto, referência em estudos somáticos e aulas de dança contemporânea, contato improvisação, improvisação, *clown* e teatro. Abrigava trabalhos de investigação e criação que deram origem à diversas companhias e espetáculos, entre elas a Cia. Oito Nova Dança e a Cia. Nova Dança 4.
7. Lu Favoreto (Brasil), artista da dança, atua como bailarina, coreógrafa, preparadora corporal para as artes cênicas e professora de dança. Tem como elemento primordial de investigação a relação entre estrutura corporal, movimento vivenciado e a comunicação na cena. Fundamenta seu trabalho didático e artístico em princípios da educação somática. Foi uma das sócias-fundadoras do Estúdio Nova Dança/São Paulo (1995 a 2007) e desde 2000 é diretora e intérprete-criadora da Cia. Oito Nova Dança. Orienta cursos regulares e oficinas de técnica, pesquisa e criação em dança no Estúdio Oito Nova Dança.
8. André Trindade (Brasil) é psicólogo, educador e psicomotricista. Trabalhou com Marie-Madeleine Béziers sobre as bases de sua obra *A coordenação motora – Aspecto mecânico da organização psicomotora do homem*. É autor de referência na área de educação somática. Publicou os livros *Gestos de cuidado, gestos de amor* (São Paulo: Summus, 2007) e *Mapas do corpo* (São Paulo: Summus, 2016).
9. A Cia. Oito Nova Dança (Brasil) é uma companhia de dança contemporânea formada e dirigida por Lu Favoreto em 2000. A Cia. Oito adota uma abordagem corporal que tem como princípios técnicas somáticas relacionadas à investigação criativa do movimento. Fizeram parte da Cia. Oito Nova Dança diversos artistas, entre eles: Andrea Drigo, Anderson Gouvea, Alexandre Peck, Celso Nascimento, Ciro Godoy, Georgia Lengos, Laura Bruno, Luciano Bussab, Marina Caron, Maristela Estrela, José Romero, Ramiro Murillo e Valéria Cano Bravi.
10. Marie-Madeleine Béziers (França) foi fisioterapeuta e psicomotricista. Sua obra *A coordenação motora – Aspecto mecânico da organização psicomotora do homem* (publicada originalmente na França em 1971), escrita em coautoria com Suzanne Piret, fruto do trabalho de pesquisa desenvolvido pelas autoras nos anos 1960, inovou a fisioterapia e trouxe um novo olhar para o corpo.

11. Educação somática é um campo de estudos interdisciplinar, teórico-prático, que se interessa pelo corpo e pelo movimento considerando o corpo como soma, psicomotor. É uma área de conhecimento que abarca as singularidades de cada ser, apoiando-se nas referências sensório-motoras do corpo. São muitas as abordagens somáticas, entre elas: Laban, Feldenkrais, Bartenieff, Alexander, BMC, eutonia, ideokinesis, Béziers, GDS, antiginástica.
12. Ivaldo Bertazzo (Brasil) é dançarino, coreógrafo e terapeuta do movimento. Criador da Escola do Movimento — Método Bertazzo. Forte disseminador do trabalho de Piret e Béziers no Brasil.
13. Renato Ferracini (Brasil) é ator, pesquisador do Lume Teatro, autor e professor do Departamento de Artes Cênicas da Universidade Estadual de Campinas (Unicamp). Ministrou a disciplina Artes da Cena: Deslocamentos e Fronteiras no mestrado profissional em Artes da Cena da Escola Superior de Artes Célia Helena (ESCH) em 2019. Muitas das referências neste texto são notas pessoais que fiz em suas aulas.
14. Alexander Lowen (EUA) foi psicanalista. Aluno de Wilhelm Reich nos anos 1940-50 em Nova York, desenvolveu a psicoterapia mente-corporal conhecida como análise bioenergética.
15. Disponível em: <https://www.youtube.com/watch?v=h29pYhReZPg>. Acesso em: 24 set. 2021.
16. A Escola Alecrim de Educação Infantil e Ensino Fundamental I e II fica localizada no bairro de Pinheiros, na cidade de São Paulo (SP).

Referências

Livros e artigos

AZEVEDO, Sonia Machado de. *As vinte e nove cartas – Laban, uma gramática poética para atores.* São Paulo: Perspectiva, 2020.

BÉZIERS, Marie-Madeleine; HUNSINGER, Yva. *O bebê e a coordenação motora – Os gestos apropriados para lidar com a criança.* Trad. de Lúcia Campello Hahn. São Paulo: Summus, 1994.

BERTAZZO, Ivaldo. "Apresentação da edição brasileira". In: BÉZIERS, Marie-Madeleine; HUNSINGER, Yva. *O bebê e a coordenação motora – Os gestos apropriados para lidar com a criança.* Trad. de Lúcia Campello Hahn. São Paulo: Summus, 1994.

BERTAZZO, Ivaldo. *Fases da vida – Da gestação à puberdade.* São Paulo: Edições Sesc São Paulo, 2018.

BERTHERAT, Thérèse. *O corpo tem suas razões – Antiginástica e consciência de si.* São Paulo: Martins Fontes, 1991.

EHRENFRIED, Lily. *Da educação do corpo ao equilíbrio do espírito.* São Paulo: Summus, 1991.

FABIÃO, Eleonora. "Corpo cênico, estado cênico". *Revista Contrapontos*, Itajaí, v. 10, n. 3, 2010, p. 321-26. Disponível em: <https://siaiap32.univali.br/seer/index.php/rc/article/view/2256/1721>. Acesso em: 2 set. 2021.

GODARD, Hubert. "Gesto e percepção". In: PEREIRA, Roberto; SOTER, Silvia (orgs.). *Lições de dança 3.* Rio de Janeiro: UniverCidade, 1995.

KATZ, Helena. *Um, dois, três – A dança é o pensamento do corpo.* Belo Horizonte: FID, 2005.

LARROSA BONDÍA, Jorge. "Notas sobre a experiência e o saber de experiência". *Revista Brasileira de Educação*, Rio de Janeiro, n. 9, abr. 2002, p. 20-28. Disponível em: <https://www.scielo.br/j/rbedu/a/Ycc5QDzZKcYVspCNspZVDxC/?format=pdf&lang=pt>. Acesso em: 2 set. 2021.

LARROSA BONDÍA, Jorge. "Sobre la experiencia". *Aloma: revista de psicologia, ciènces de léducació i de lésport Blanquerna*, Barcelona, n. 19, 2006, p. 87-112. Disponível em: <https://raco.cat/index.php/Aloma/article/view/103367>. Acesso em: 1 set. 2021.

LOWEN, Alexander. *O corpo traído*. São Paulo: Summus, 2019.

PIRET, Suzanne; BÉZIERS, Marie-Madeleine. *A coordenação motora – Aspecto mecânico da organização psicomotora do homem*. Trad. de Angela Santos. São Paulo: Summus, 1992.

SANT'ANNA, Denise Bernuzzi de. *Corpos de passagem – Ensaios sobre a subjetividade contemporânea*. São Paulo: Estação Liberdade, 2001.

TRINDADE, André. *Gestos de cuidado, gestos de amor*. São Paulo: Summus, 2007.

______. Apostilas (Módulos I, II, III, IV e V) do *Grupo de Estudo sobre a Coordenação Motora de Piret-Béziers – A teoria e sua aplicação na clínica e na educação do movimento*. São Paulo, 2003.

VITIELLO, Júlia Ziviani. "Inquieto vazio". *Sala Preta*, v. 12, n. 2, 2012, p. 62-77. Disponível em: <https://www.revistas.usp.br/salapreta/article/view/57487>. Acesso em: 31 ago. 2021.

Referências do trabalho com crianças

OFICINAS de Expressão Corporal da Escola Alecrim (São Paulo). Com coordenação artística de Marina Caron, são ministradas por ela sob a orientação pedagógica de Angela Calabria e a coordenação geral de Silvia Macedo Chiarelli.

BÉZIERS, Marie-Madeleine; HUNSINGER, Yva. *O bebê e a coordenação motora – Os gestos apropriados para lidar com a criança*. São Paulo: Summus, 1994.

TRINDADE, André. *Mapas do corpo – Educação postural de crianças e adolescentes*. São Paulo: Summus, 2016.

Cartas-depoimento

Estudantes de Expressão Corporal (2003-2020): Caio Martins, Fause Haten, Michelly Juste, Naíra Gascon, Pedro Scalice.

QR codes

Pesquisa realizada no programa de Mestrado Profissional em Artes da Cena pela Escola Superior de Artes Célia Helena (ESCH) com Marcelle Lemos e Mateus Menoni, estudantes do Célia Helena Centro de Artes e Educação.

Vídeos gravados por Marina Caron no estúdio de criação de Henrique Lima.

Edição de vídeos realizada por Macê Stevaux.

Trilha sonora: "E eles ainda dançam", Orquestra Popular de Câmara, 2012.

Agradecimentos

André Trindade, Lígia Cortez, Sonia Machado de Azevedo, Eleonor Pelliciari, Júlia Ziviani, Karina Almeida, Liana Ferraz, Lu Favoreto, Cristiane Paoli Quito, Tica Lemos, Macê Stevaux, Marcelle Lemos, Mateus Menoni, Nani de Oliveira e Renato Ferracini.

Também ao corpo docente do Célia Helena e ao corpo discente, minhas alunas e alunos do TECH e da ESCH, especialmente aos que fizeram as cartas-depoimentos.

À equipe da Escola Alecrim, aos professores do Integral e, sobretudo, a Silvia Chiarelli e Angela Calabria.

Aos artistas do Nova Dança, da Cia. Oito Nova Dança e do Núcleo Arremesso, e a tantas parcerias de arte e vida, especialmente Bruno Perillo, Melissa Bamonte, Luciano Bussab, José Romero, Fernanda Rapizarda, Georgia Lengos, Anderson Gouvea, Ramiro Murillo, Ciro Godoy, Cris Souto, Maristela Estrela, Juliana Moraes, Rodrigo Caron, Lúcia Campanatti Caron, Rejane Perillo, Dalcio Caron, Marcelo Ramos e nossas crias e criações.

www.gruposummus.com.br